P9-ECB-054

인도로 가는 길

# 달라이라마와 도올의 만남 (3)

도올 김용옥 지음

통나무

불교는 종교가 아니다

그것은 깨달음일 뿐이다

불교는 21세기의 예언이다

*Contents*


| | |
|---|---|
| 위대한 출발 | 505 |
| 예수와 신화 | 516 |
| 그노스틱스와 리터랄리스트 | 530 |
| 신앙은 이성이다 | 536 |
| 에반젤리즘의 한계 | 547 |
| 기독교는 본래 아시아대륙의 종교 | 552 |
| 야크를 탄 세계정신 | 563 |
| 불교는 과학이다 | 578 |
| 지혜와 지식 | 586 |
| 엘레판타와 석굴암 | 594 |
| 소승, 대승, 아잔타! | 616 |
| 이슬람의 형상거부 | 626 |
| 불상의 탄생 | 632 |
| 불상과 반야 | 642 |

티벧의 침묵 649
불교는 심리학인가? 658
비그뱅, 절대적 진리는 없다 662
티벧과 중국의 미래 669
열반이 해탈을 보장하지 않는다 679
윤회는 과학이다 682
무아와 윤회의 모순 684
윤회하는 것은 미세마음이다 692
근대적 인간, 합리성, 불교 702
나는 중이요 710
감사의 말씀 715
주(註) 721
색 인 734

인도인들은 간지스 강 가트 건너편의 땅을 "사악한 땅"이라 불렀다. 그러나 싯달타는 바로 그 땅을 정토로 만들었다.

"수보리야! 간지스강에 가득찬 모래알의 수만큼, 이 모래만큼의 간지스 강들이 또 있다고 하자! 네 뜻에 어떠하뇨? 이 모든 간지스 강들에 가득찬 모래는 참으로 많다하지 않겠느냐?"

『금강경』 제11분이 묘사하고 있는 그 현장, 바로 그 카시의 간지스 강 모래밭. 사악한 땅의 모래밭에서 정성스럽게 두손모아 기도하고 있는 저 여인을 보라!

# 위대한 출발

나의 가슴은 두근거리기 시작했다. 계단을 올라갈 때 많은 승려들이 우리를 에워쌌다. 그 중 나에게 인사를 한 사람은 라크도르(Lhakdor)라는 승려였다. 라크도르는 달라이라마의 지적인 분신과도 같은 대 학승이었다. 영어를 거침없이 하는 대학자였다. 나중에 달라이라마와 나의 대화에 동석한 사람은 타클라와 라크도르였다. 타클라는 사회 · 경제 · 정치적 측면에서, 라크도르는 종교 · 철학적 측면에서 달라이라마의 대화를 보좌했다. 물론 달라이라마와 나의 대화는 통역없이 직접 영어를 매체로 이루어졌다.

날씨도 너무 화창했다. 꼬불꼬불 계단을 올라갔다. 아~ 달라이라마께서 빙그레 웃으시면서 꿈에서 본 모습대로 나를 맞이하기 위해 문밖에 나와 계신 것이 아닌가? 나는 양탄자가 깔린 궁 안의

우리의 대화는
여기서
시작되었다.

널찍한 방으로 안내되었다. 나는 궁 안에 들어가자마자 달라이라마님께 큰절을 올렸다. 그가 어떻게 생각하든 말든 나는 한국인으로서 장자에 대한 최상의 존경을 표시한 것이다. 달라이라마께선 꼭 꿈에서처럼 날 손수 일으키시며 자리로 안내했다. 사실 나는 그와 만나게 될 곳에 대한 아무런 정보가 없었다. 그런데 우리의 대화의 장소로 택하여진 곳은 나에게는 더할 나위 없이 이상적인 공간이었다. 텅 빈 곳에 자그마한 서안을 하나 놓고 책상다리를 하고 둘이서 마주보고 앉아있을 수 있다는 것은 정말 크나큰 행운이었다. 나는 평소 때도 걸상에 다리를 내리고 앉지를 않는다. 그리고 평생을 가부좌 자세로 살아왔다. 나는 그 많은 책을 모두 가부좌 자세에서 집필한 것이다. 그러기 때문에 서안 앞의 가부좌 자세는 서양인들에게는 지극히 불편한 포즈이겠지만 나에게는 모태의 자궁과도 같은 편안한 자세였다. 난 처음엔 송구스러워 좀 멀리 앉았지만 점차 그에게 가까이 다가갔다. 사진을 남군에게 부탁했는데 앵글이 잘 안 나온다고 몰래 좀 가까이 붙어 앉으라고 손짓을 하는 것이었다. 난 달라이라마님께 양해를 구하고 서안 앞으로 바싹 다가갔다. 성하께선 꼭 어린 동생을 가슴에 껴안 듯, 가까이 오라고 편하게 손짓하시는 것이었다. 이렇게 우리의 대화는 시작되었다.

"우선 저는 우리 한국동포들과 함께 티벹인민의 고통에 대하여 충심의 동정(sympathy)을 표시합니다.[83] 저는 고전학자(Classicist)입니다. 이 세계의 다양한 문명의 고전을 섭렵하려고 노력해왔습니다만 저는 중국의 고전들을 가장 깊이 있게 연구했습니다. 저의 학문적 디시플린은 철학(philosophy)이며, 그 영역으로 말한다면 중국고전학자(Sinologist)라고도 말할 수 있습니다. 그래서 중국인 친구들도 많고, 세계의 중국학 분야에서 활약하고 있는 많은 양식있는 학자들과 두터운 교분을 가지고 있습니다. 저는 티벹의 문제는 인류의 양심이 해결해야만 할 공통의 과제상황이라고 생각합니다. 티벹인민의 고통을 통하여 저는 인류가 인간의 가치있는 삶에 대한 새로운 각성과, 그리고 사회정의·국제질서에 대한 명료한 도덕적 인식을 회복할 수 있기를 바라고 있습니다. 오늘 저의 성하와의 대화가 그러한 인간의 진보에 대하여 조

달라이라마와 도올의 만남(3)

그만큼의 도움이라도 줄 수 있는 계기가 되기를 진심으로 바라겠습니다."

나는 사실 영어를 잘 못하는 사람이다. 어려서부터 미국서 큰 사람도 아니고 미국교육이래야 6년간 박사공부를 한 것 뿐이다. 나는 한국말을 가장 잘 한다. 그것은 우선 한국말이 자유자재롭고 편하기 때문이다. 그렇지만 난 영어를 하는 데도 그리 큰 불편을 느끼지는 않는다. 내 머리 속에 떠오르는 생각들을 아무렇게든지 영어로 전달하면 그뿐이기 때문이다. 난 영어로 말하는 동안엔 내가 영어로 말하고 있다는 사실을 그냥 잊어버리고 만다. 그리고 그냥 되는 대로 적당히 뇌까린다. 나의 거침없는 서두로 좀 장내가 숙연해진 듯했다. 나는 말을 계속했다.

"제가 인도를 오게 된 것은 명백하게 두 가지 목적이 있었습니다. 그 첫째 목적은 '역사적 붓다'(Buddha as a historical person)를 만나기 위한 것이었습니다. 한국에서는 붓다의 모습은 금동(金銅)에 갇혀버린 차디찬 금인(金人)에 불과합니다. 생명있는 싯달타를 느껴볼 수 있는 역사적 현장이 없습니다. 그래서 저는 그 역사적 현장을 몸소 가보고 그곳에서 나와 같은 현존재로서 실존했던 한 인간을 느껴보려고 노력했습니다. 근 한 달 동안 많은 곳을 다녀봤고 그 첫째의 목적은 만족할 만한 수준으로 상당히 달성되었습니다.

그런데 더 중요한 두 번째 목적은 오늘날 그 살아있던 붓다의 화신(Reincarnation of Buddha)이라고 여겨지고 있는 바로 당신을 만나서 그 역사적 붓다의 실체를 다시 한번 확인해보고 싶었습니다. 그리고 오늘날 우리 인류에게 지니는 의미를 되새겨보고 싶었습니다."

내가 말하는 도중에 "붓다의 화신"이라는 말이 나오자 달라이라마는 갑자기 "노우"하면서 내 말을 끊었다. 그러면서 나에게 다음과 같은 선문답을 던졌다.

"달라이라마가 뭐라고 생각하십니까?"

나는 물론 여기에 대하여 깊은 생각을 해본 적이 없었다. 그래서 머뭇거리고 있을 때 달라이라마는 말을 이었다.

"달라이라마는 하나의 제도(an institution)입니다. 당신과 마주 앉은 나는 제도가 아닙니다."

나는 이렇게 단도직입적인 그의 언변에 좀 충격을 받았다. 그의 목소리는 굵직했고 호소력이 있었으며 구슬이 굴러가는 듯, 아나운서의 목소리보다도 더 아름다웠다. 불경에서 말하는 칼라빙카(迦陵頻伽, kalaviṅka)의 묘성이 아마도 이런 소리려니 했다.[84)]

우리 조상들은 지붕 처마끝 수막새에 칼라빙카 새를 새겨넣었다. 통일신라, 지름 14.1cm. 국립경주박물관 소장

"물론 제도로서의 달라이라마는 불타의 화신이라기 보다는 아발로키테슈바라(Avalokiteśvara), 그러니까 관세음보살의 현신으로 여겨지는 것입니다. 역사적으로 제1대 달라이라마, 그리고 제2대 달라이라마, 그리고 또 제5대, 제7대 …… 이런 분들은 매우 우리의 상식으로는 이해하기 어려운 비상한 능력을 가지고 계셨던 분들인 모양입니다. 그리고 그 분들을 둘러싼 그러한 비상한 이벤트(extraordinary events)에 대한 역사적 체험(historical experiences)들이 많이 전해 내려오고 있습니다. 그런데 불행하게도 나의 경우는 이런 신통한 것들이 아무 것도 없습니다. 나는 그냥 여기 앉아있는 나일 뿐입니다. 이게 전부지요(This is all)."

"그럼 당신은 아무 것의 화신도 아닙니까?"

"난 나의 전생의 화신(the reincarnation of my previous life)일 뿐입니다."

그러면서 그는 깔깔 어린애처럼 웃었다. 나도 그 웃는 모습이 우스워서 같이 깔깔 웃어댔다. 그러다가 나는 갑자기 진지하게 물었다.

"그렇다면 당신에게 한마디 묻겠습니다. 붓다가 실제로 역사 속에서 우리와 같이 존재한 인간이라고 생각하십니까? 붓다는 실제로 살아있었습니까?"

엉뚱한 듯한 이러한 나의 갑작스러운 질문에 달라이라마는 고개를 갸우뚱거리면서 재미있다는 듯이 되쳐 물었다.

"뭔 말씀이십니까?(What do you mean?) 그러한 질문을 나에게 던지는 특별한 이유라도 있습니까?"

아마도 그는 그를 방문한 사람들이 그에게 이런 식의 질문을 던지는 것을 별로 체험해보지 못한 듯했다. 그를 방문하는 사람들은 그를 숭배하는 사람들일 것이다. 그리고 대다수의 서양사람들도 그에게서 어떤 인생의 예지 같은 것을 기대하는 사람들일 것이다.

나에게는 그러한 특별한 목적이 없었다. 그리고 일체의 타부가 나에게는 존재하지 않았다. 지식인들에게는 냉혹한 이성의 잣대만이 있을 뿐이다. 그러한 나의 모습이 그에게는 두려움의 대상이라기 보다는 호기심과 친근감의 대상으로 느껴지는 것 같았다.

"전 그냥 성하의 솔직한 생각을 여쭙고 있는 것 뿐입니다."

"질문하신 문제를 일면적인 각도에서 대답하기는 매우 어렵습니다. 아시다시피 역사적 붓다에 대한 생각은 불교의 종파마다 다양한 견해가 있었기 때문입니다. 예를 들면, 응신불(應身佛, nirmāṇa-kāya, 역사 속에 인간의 형상에 응하여 태어난 부처라는 뜻)[85]을 영원한 법신불의 일시적 현현이라고 생각한다면, 카필라성에 태어난 싯달타는 수많은 역사적 현현체 중의 한 사람이 될 것이며, 그 자체의 역사성에 관하여 그렇게 큰 비중이 없을 수도 있는 것입니다. 이것은 인도인들이 역사적 존재로서의 인간에 대하여 그렇게 큰 의미부여를 하지 않았다는 일반적 사유의 특징에서 유래되는 한 현상일 수도 있습니다. 그렇지만 저 개인의 생각을 집요하게 물으신다면 저는 저와 같은 한 인간으로서 실존했던 역사적 붓다에 대한 확고한 신념을 가지고 있습니다. 저는 달라이라마이기에 앞서 하나의 승려입니다. 승려라는 것은 단순한 개인적인 사태가 아닙니다. 승려는 반드시 승가(僧伽, saṃgha)라고 하는 공동체의 일원으로서의 자기이해를 가질 수밖에 없습니다. 그런데 저는 이 승가공동체의 최초의 형성자로서의 그 사람(that historical person)의 역사적 존재를 믿습니다. 이것은 법신의 일시적 역사적 현현태로서의 싯달타를 말하는 것이 아니라, 오히려 거꾸로 불타의 법신은 역사적 불타의 색신으로부터 생겨난다는 것을 의미합니다. 이러한 말들은 나로서는 신중히 말해야하는 것들이지만 나 개인의 솔직한 소견은 그렇습니다."

"역사적 싯달타조차도 설화적으로 구성된 픽션일 수는 없습니까?"

"매우 단도직입적으로 질문하시는군요. 저도 단도직입적으로 대답하겠습니다. 우리 티벧에는 방대한 장경이 있습니다. 저는 어려서부터 이 티벧장경을 공부하는 엄격한 수련을 거치면서 성장하여 왔습니다. 우리 티벧장경 속에는 원시경전에 해당되는 삼장뿐만 아니라, 그 후에 발전된 대승의 논서들이 엄청나게 들어와 있습니다. 뿐만 아니라 후기 밀교경전까지 엄청난 분량이 집적되어 있습니다. 그런데 이러한 장경을 공부하면서 느끼는 것은 도저히 역사적으로 실존했던 어떤 개인을 전제하지 않고서는 초기에 결집된 삼장체계가 성립할 수 없다는 것을 너무도 절실하게 피부로 느낄 수 있다는 것입니다. 『대반열반경』 같은 것을 읽어보셨습니까? 쿠시나가르에서 숨을 거두는 인간 붓다의 모습을 생생하게 느낄 수 있지 않습니까? 그는 죽음을 거부하지도 않았고 보통사람처럼 순순하게 받아들였습니다. 자기에게 본의아니게 잘못된 음식을 공양한 춘다를 위로하셨을 뿐 아니라, 당신의 장례식절차까지도 세세하게 말씀하셨습니다. 그리고 당신의 죽음에 대하여 어떠한 신비로운 의미부여도 하지 않았습니다. 이러한 역사적 존재를 우리가 회의할 필요는 없는 것이 아닙니까?"

하늘과 인간을 소통시키는 영혼의 멧신저. 카시 간지스 강에서

## 예수와 신화

"저는 최근에 『예수의 신비』(*The Jesus Mysteries*)라는 책에 깊은 충격을 받았습니다. 이 책은 인류문명의 다양한 신비주의를 폭넓게 연구한 두 영국학자, 프레케(Timothy Freke)와 간디(Peter Gandy)의 역저인데, 예수라는 사건은 역사적으로 실존했던 사건이 아니고 신화적으로 구성된 픽션에 불과한 것이라는 어마어마한 가설을 설득력 있고 치밀하게 분석했습니다. 이것은 20세기 문헌학의 획기적인 대발견이라고 불리우는 나하그 함마하디 영지주의 문서(the Nag Hammadi Gnostic Library)의 연구성과와 그동안 우리에게 무시되어 왔던 지중해 주변의 토착문명의 신화적 세계관의 매우 복잡한 연계구조에 관한 새로운 인식의 성과를 반영한, 단순한 가설 이상의 치밀한 문헌적 근거가 있는 논증이었습니다. 예를 들면, 우리는 지금 『구약』의 창세기 이야기나, 노아의 방주이야기, 그리고 간지스강이 시바신의 일곱 머리카락 중의 하나라는 이야기를 사실로서 생각하지는 않습니다. 신화는 신화로서 우리에게 충분한 가치가 있는 것입니다. 그런데 똑같은 신화적 구상임에도 불구하고, 신의 아들 예수가 인간 처녀에게서 잉태되었고, 성령의 세례를 베풀며, 물을 포도주로 변화시키고 죽은 자를 무덤에서 일으키는 기적을 행하다가 죽임을 당하고 또 육신으로 부활하여 승천했다 하는 『신약』의 이야기는 반드시 사실로서 받아들여야 한다는 것입니다. 이러한 이야기를 시공간내의 과학적 사건과도 같은 사실로서 받아들이는 비합리적인 사태야말로 모든 기독교신앙의 출발점이 되고있는 것입니다. 다시 말해서 기독교는 신화를 사실로서 강요하는 데서부터 모든 신앙의 논의를 출발시키고 있는 것입니다."

룸비니에 새겨진 마야부인의 출산상. 마야부인이 무우수 가지를 휘어잡고 있고 겨드랑이에서 떨어진 금빛의 아기가 보인다.

달라이라마는 나의 말을 다음과 같이 받았다.

"사실 불교에도 그러한 신화적 기술이 많습니다. 능인보살이 변화하여 흰 코끼리를 타고 구리찰제(拘利刹帝)의 딸의 태 안으로 들어갔다든가, 마야부인이 산기가 다가오자 친정인 구리성으로 가는 도중, 룸비니에서 오른손으로 무우수 가지를 잡고 앉지도 서지도 못하고 안절부절 못하던 사이에 오른쪽 겨드랑이로부터 아기가 툭 떨어졌다.

코끼리를 타고 다니는 인도인, 룸비니에서. 코끼리는 인도대륙의 보편적인 동물이었다. 코끼리의 존재로써 인도대륙이 아프리카대륙과 접합되어 있었다는 것을 입증하기도 한다. 코끼리는 신화나 본생담에 항상 등장한다. 마야부인의 태몽도 흰코끼리가 옆구리로 들어오는 꿈이었다. 시바신과 파르바티의 큰아들 가네샤(Ganesa)도 코끼리다. 지혜와 신중함의 상징이다. 윗 사진은 웨일즈 박물관의 가네샤.

그런데 마야부인의 겨드랑이에는 피 한방울 나지도 않았다. 또 그 아이가 그 즉시 일곱 발자국을 걸어가서 손을 들고 말하기를 '나는 하늘 위 하늘 아래 가장 뛰어난 자이다. 이제 더 이상 윤회하지 않는 마지막 삶을 살리라. 이번 삶 동안에 모든 중생을 제도하리라'고 외쳤다는 등등의 이야기는 이미 초기 아가마의 전승으로부터 전해 내려오고 있는 것입니다. 그런데 이러한 것은 설화양식이지요. 이것을 사실로 믿으라고 강요하는 사람은 아무도 없습니다. 옛날에는 모든 전승이 암송이라는 구전방식으로 이루어진 것입니다. 설화라는 것은 이야기의 한 방식일 뿐입니다. 부처님의 스투파 주변으로 모여든 일반신도들에게 재미있게 이야기해주기 위한 한 양식으로 고안된 것입니다. 이러한 이야기꾼들이 대부분의 본생담 같은 것을 지어냈다고 생각됩니다. 즉 말하는 사람이나 그 말을 듣는 사람이나 신화적 세계관이나 신화적 표현방식에 익숙해 있기 때문에 그러한 방식으로 재미있게 이야기하는 것을 너무도 당연하게 받아들이는 것입니다. 따라서 불경을 읽어보면 역사적 사실로 여겨지는 부분과 그러한 설화적 표현의 부분이 혼동되지를 않습니다. 설화는 설화대로 사실은 사실대로 따로 이해를 하면 그뿐이지요. 설화에서 우리는 그 설화인이 우리에게 전달하려고 했던 의미만 취하면 되는 것이지요. 저도 『신약성경』을 읽어보았습니다만, 아마도 말씀하시는 맥락에서 보자면, 복음서의 기술은 그러한 신화적 표현과 사실적 기술이 구분이 안되는 방식으로 섞여져 있기 때문에 문제가 되는 것이겠지요. 그러나 그러한 방식의 기술도 그 나름대로 충분한 역사적 이유가 있지 않았겠습니까?"

"바로 프레케와 간디는 그 역사적 이유를 소상하게 규명할려 하고 있습니다. 예수의 이야기는 애초로부터 사실로서 출발한 것이 아니고 지중해연안문명에 공통된 신화양식의 유대사회적 변용에서 출발한 것이라는 것입니다. 생각해보십시오. 예수의 시대는 식달타나 공자나 소크라테스의 시대보다는 몇 세기나 늦은 인류문명의 꽃이 만개한 시대이며, 불교사로 본다면 대승불교운동이 본격적 궤도에 오르기 시작한 시대였습니다. 그리고 쥴리어스 시이저 등, 플루타크(Plutarch, c. 46~119이후 죽음)의 『영웅전』(*Bioi parallēloi, Parallel Lives*)에 나오는 인물들이 활약하던 시기를 지나 제국문명의 전성기를 맞이하고 있었습니다. 유대와 로마를 넘나들며 활약했던 플라비우스 요세프스(Flavius Josephus, c. 37~100)와 같은, 예수와 동시대의 사가들의 자세한 역사서술이 현존하고 있습니다. 다시 말해서 예수의 시대는 인류가 매우 개명한 삶을 살았던 시대며, 현재의 우리와 콘템포러리라고 말해도 좋을 정도의 사실적 역사인식을 가지고 있는 시대였습니다. 그럼에도 불구하고 역사적 예수는 역사 속에 중요한 사건으로서 전혀 등장하지 않습니다. 그리고 그 정도의 신화적 삶의 이야기가 거대한 물결로서 당대의 개명한 역사의 대세를 잡을 수 있었다는 그 사실 자체가 매우 신기롭게 느껴지는 것입니다.

예수의 이야기는 역사적 메시아로서의 바이오그라피가 아니라, 영원한 이방인의 신들의 이야기에 기초한 하나의 신화적 구성이라는 것입니다. 그러니까 지중해연안에 공통된 이방의 신비종교의 유대적 변용에 불과한 것이지 그것이 전혀 새로운 계시적 사건이 아니라는 것입니다.[86] 우리는 소크라테스를 아주 이성적인 철학자로만 생각하며 그가 아테네의 청년들을 타락시켰다는 죄목으로 재판을 받고 사형에 처해지는 과정이나, 예수가 바리새인의 율

법을 거부하고 예루살렘성전을 뒤엎고 유대인의 왕으로서 혁명을 꾀하려 했다는 죄목으로 재판을 받고 사형에 처해지는 과정에 동일한 스토리의 스트럭쳐가 있다는 것, 그리고 소크라테스가 아테네의 준법정신 때문에 사형을 달게 받은 것이 아니라, 사후의 새로운 삶에 대한 종교적 확신이 있었기 때문에 얼마든지 도피할 수 있는 사형을 오히려 자초했다고 하는 그러한 과정이 예수의 스토리와 동일한 구조를 가지고 있다는 것을 우리는 별로 생각해보질 않았습니다. 그리고 피타고라스(Pythagoras, 581~497 BC)라고 하면 우리는 냉철한 공리를 발견한 수학자이며 과학의 원조라고만 생각했지, 그가 이집트, 페니키아, 바빌론 등지에서 신비종교를 체험하고 남부이태리 희랍식민지에 신비교단을 세운 교주이며, 인도인의 세계관과 동일한 윤회(the wheel of birth)관을 믿었고 윤회를 벗어나기 위하여 가혹한 금기의 계율을 실천했던 올페이즘의 신봉자였으며, 또 바람을 잠재우고 죽은 자를 일으키는 신비한 능력의 소유자였다는 사실을 우리는 말하지 않습니다. 이것은 서구문명의 뿌리를, 지나치게 근대과학의 근원으로서의 그레코-로망의 합리적 전통에서 찾으려고 한 나머지, 그 문명의 형성과정에 대한 총체적 조망을 하지 않고 단지 근대과학적 사유에 합치되는 어떤 연역적 사유체계로서의 희랍문명의 그림만을 그린 데서 오는 오류들입니다. 우리는 철학, 즉 필로소피아를 '소피아의 사랑'이라고 알고 있으면서도 그 소피아가 단순히 이성적 사유로서의 지혜에 그치는 것이 아니라 우주의 모든 신비를 체험하는 열쇠로서의 소피아라는 사실, 그리고 그러한 소피아가 성서에서 말하는 그노시스(영지)와 근원적으로 상통되는 사실이라는 것을 우리는 애써 쳐다보지 않으려고 노력해왔던 것입니다."

달라이라마는 내 말을 가로막지 않았다. 내 말이 재미있는 듯 호기심을 가지고 고개를 끄떡이며 계속 내 말이 이어지기를 바라는 표정을 지었다. 나는 신이 나서 계속 영어로 씨부렁거렸다.

"이러한 이방신비종교의 핵심에 있는 것은 죽음과 부활의 신화를 구현하는 신인(神人, a dying and resurrecting godman)입니다. 이 신인은 문명의 양태에 따라 여러 가지 다른 이름으로 표현되고 있는 것입니다. 이집트에서는 오시리스(Osiris), 희랍에서는 디오니수스(Dionysus), 소아시아에서는 아티스(Attis), 시리아에서는 아도니스(Adonis), 이탈리아에서는 바카스(Bacchus), 페르시아에서는 미트라스(Mithras)라는 다른 이름을 가지고 있지만 이 신인들은 모두 동일한 신화적 존재(the same mythical being)이며, 이 신화는 기원전 3세기부터 이 지역에서 강력한 세력으로 등장하였습니다. 신화학자 죠세프 캄벨(Joseph Campbell)이 말한 대로 이러한 신화들은 '동일한 해부학적 구조'(the same anatomy)를 갖는다는 것이지요. 이것은 인간의 존재의 보편성인 동시에 한계상황일 것입니다. 그러니까 셰익스피어의 『로미오와 쥴리엣』(*Romeo and Juliet*)은 이태리의 갑부집안들의 알력을 다룬 16세기 영국의 비극이고, 베른슈타인의 『웨스트 사이드 스토리』(*West Side Story*)는 길거리 불량배들의 싸움을 다룬 20세기 미국의 뮤지칼이지만 결국 같은 이야기라는 것이죠. 그러니까 예수의 이야기는 오시리스-디오니수스의 신화의 유대적 번안(a Jewish version)에 불과하다는 것입니다. 그리고 그 세부에 이르기까지 예수신화와 완전히 동일한 이야기들이 산재해있음을 증명합니다."

"예수를 그렇게 신화적 사태로서 구성했다 할 적에 기존의 역사적 믿음과 많은 충돌이 생겨날 텐데, 그들의 가설은 이러한 충돌을 어떻게 해결하고 있습니까?"

"가장 큰 충돌은 역사적 예수의 존재가 없이 어떻게 사도바울이라는 사람의 전도여행과 초대교회운동이 가능했겠냐 하는 것입니다. 이것은 마치 역사적 붓다가 없이 어떻게 왕사성이나 바이샬리, 슈라바스티의 승가운동을 설명할 수 있는가 하는 문제와도 동일한 문제가 될 것입니다."

"참 재미있군요. 한번 그 해답을 들어보고 싶군요."

"우선 『예수의 신비』의 저자들은 4복음서가 모두 사도바울의 편지 이후에 성립했다고 하는 역사적 사실에 착안했던 것 같습니다. 이것은 전혀 이들의 새로운 창안이 아니고 매우 정통적인, 그러니까 초대교회사를 연구하는 모든 신학자들의 일치된 견해입니다. 예수의 전기로서 우리는 우선 「마태복음」, 「마가복음」, 「누가복음」을 들 수가 있는데 이 세 복음서는 공통된 관점에서, 그러니까 같은 자료를 바탕으로 쓰여졌다고 해서 공관복음서(Synoptic Gospels)라고 부릅니다. 그런데 이 세 복음서 중에서 「마가복음」이 가장 먼저 성립했다고 하는 것이 대부분의 공통된 견해입니다. 그런데 이 공관복음서의 원형을 이루는 「마가복음」조차도 사도바울의 죽음 이후에 성립한 것이 확실하며, 연대적으로는 AD 70년 예루살렘성전의 파괴라는 대사건의 직전 아니면 직후로 보고 있는 것입니다. 공관복음서와는 전혀 색깔이 다른, 보다 신비적이고 보다 인간적인 「요한복음서」는 그보다 훨씬 후대, 2세기 중반경(AD 135~150 사이)에나 성립한 것으로 보는 것입니다. 다시 말해서 예수의 전기는 사도바울의 죽음 이후에 초대교회의 어떤 필요에 의해서 쓰여진 것이 확실합니다.

둘째로, 사도바울과 예수의 만남의 과정이 전혀 역사적인 사건이 아니라는 사실을 들 수 있습니다. 사도바울은 사울이라는 세리였으며, 예수의 사후에 시리아의 다마스커스로 가는 도중에 어떤 황홀한 신비적 체험에 의하여 공중에서 예수의 음성을 들은 것으로 사도바울 자신이 몇 군데서 기술하고 있는데, 이 기술들조차도 정확하게 일치하고 있질 않습니다. 이것은 예수와 바울의 만남은 한 인간과 한 인간의 역사적 만남이 아니라는 것입니다. 그리고 바울은 예수와의 만남의 과정에 있어서 전혀 예수의 직전 제자들을 개입시키고 있질 않습니다. 예를 들면, 베드로라는 사람을 통해 예수 얘기를 들었다든가 하는 식의 기술이 전무하다는 것입니다. 즉 바울의 예수라는 사건과의 만남의 계기는 전혀 추상적인 것이며 바울의 주관적 의식내적 사건이라는 것입니다. 스콜세지의 『그리스도의 마지막 유혹』에서도 바울과 인간화된 예수가 직접 만나는 장면이 나오는데, 예수가 바울에게 그대가 전파하는 예수는 거짓 예수라고 힐난하니까, 바울이 당신같이 인간화된 예수는 나에겐 필요가 없다고 잘라 말합니다. 내가 전하는 예수는 오직 사망을 이긴 부활한 예수일 뿐이며 사람들은 나로부터 그러한 말만 듣기를 원한다고 선포합니다.

셋째로, 사도바울의 편지의 대부분이 사도바울이라는 인간의 이름을 빌어 날조된 것이며(당대에는 이러한 식의 날조가 날조가 아니라 당연한 관행이었습니다), 그 중 「갈라디아서」, 「로마서」, 「고린도전·후서」가 그래도 오쎈틱한 역사적 바울의 편지로 간주되는 것인데, 이러한 서한문 중에 나타나고 있는 예수, 즉 바울의 예수는 역사적 인간이 아니라, 죽음과 부활의 추상적 상징체이며, 우리 모든 개개의 인간이 그것의 지체일 뿐인 하나의 우주적 영성의 상징이라는 것입니다(「로마서」 12 : 4~5, 「고전」 12 : 12~20). '나는 그리스도와 더불어 십자가에 못박혀 죽었다, 그러므로 이제 사는 것은 내가 아니라, 오직 내 안에 있는 그리스도가 사는 것이라.'는 「갈라디아서」(2 : 20)의 설법이라든가, '우리가 알거니와 우리의 낡은 자아가 예수와 함께 십자가에 못박힌 것은 죄스러운 몸이 멸하여 다시는 우리가 죄에게 종노릇하지 아니하려 함이니, 이는 죽은 자가 죄에서 벗어나 의로움을 얻었음이라. 만일 우리가 그리스도와 함께 죽었으면 또한 그와 함께 살 것을 믿노니, 이는 그리스도께서 죽은 자 가운데서 사셨으니 다시 죽지 아니하시고, 사망이 다시 그를 주장하지 못할 줄을 앎이로라. 그리스도의 죽으심은 죄에 대하여 단번에 죽으심이요, 그의 살으심은 하나님께 대하여 살으심이니'와 같은 「로마서」(6 : 6~10)의 바울설법을 잘 분석해보면, 예수의 수난(Passion)은 과거에 일어났던 일회적 역사적 사건이 아니라 영원히 일어날 수밖에 없는 신비적 체험이라는 것입니다. 부활도 단순히 미래에 닥쳐올 어떤 역사적 심판이 아니라, 지금, 여기서 우리 모두에게 일어나야 하는 영적인 이벤트라는 것입니다. 사실 그리스도(Christ)라는 말은 '기름부음을 받은 자'(the Anointed)이며 상기의 맥락에서 말한다면 '모든 죄로부터 해방된 자'라는 뜻이며 깊은 맥락에서 비유하자면 '붓다'가 '깨달음을 얻은 자'라고 하는 의미맥락과 하등의 차이가 없는 것입니다. 바울이 말하는 예수는 역사적으로 살아있던 현실적 인간으로서의 예수가 아니라, 우리의 존재와 더불어 죽고 더불어 사는 부활의 상징체로서의 예수(Christ in you)이며[87] 이러한 추상적 예수의 의미체계는 당대의 모든 이방신비종교의 공통된 신화구조라는 것입니다. 사도바울이라는 신비주의적 사상가가 예수라는 추상체를 통하여 일으킨 종교운동이 당대의 헬레니즘세계에 광범위하게 유포되어 있었던 개명한 유대인 콤뮤니티에 엄청난 영향을 주었고 또 호응을 얻었다는 것이죠. 예수(Jesus)라는 이름도 원래의 희랍이름은 '**Iesous**'인데 이것은 '888'이라는 신비적 숫자를 나타내는 하나의 상징체계일뿐이라는 것입니다.[88] 이러한 바울의 신비주의를 우리는 그노스티시즘(Gnosticism) 즉 영지주의라고 부릅니다.

영지주의의 핵심은 인간이 영지(靈知, Gnosis)를 획득함으로써 그 자신이 기름부은 자, 곧 그리스도가 되는 것이며, 그리스도가 됨으로서 죄의 삯에서 해방되고 우주와 하나가 되는 신비로운 체험을 하게 된다는 것입니다. 이 영지를 「요한복음」의 저자는 로고스(Logos), 빛(Light) 등의 말로서 표현하고 있는 것입니다. 흔히 우리는 사도바울을 오히려 초대교회운동의 저변에 깔려 있었던 영지주의의 날카로운 비판자로서 이해하고 있습니다. 이것은 사도바울의 이미지가 영지주의 반대파들에 의하여 왜곡되어간 모습을 반영하는 날조과정의 파편들로부터 오는 인상일 뿐이라는 것입니다. 사도바울이야말로 영지주의자였으며, 영지주의의 원조였으며, 이 영지주의야말로 초기 기독교의 원래 모습이라는 것입니다. 이 영지주의운동이 크게 성공을 거두자, 이제는 거꾸로 추상적인 예수를 구체적인 역사적 사건이었던 것처럼 전기문학을 만들어가기 시작했다는 것입니다. 이것은 초기 승가운동이 크게 성공을 거두게 되니까 붓다 전생의 보살의 본생담(자타카, jātaka)들이 지어지게 되는 과정과 매우 유사합니다. 불교도들은 예나 지금이나 본생담의 이야기를 싯달타 전생의 다양한 전기문학장르로 파악하지, 그것을 역사적 사실로서 이야기하거나 강요하는 사람은 아무도 없습니다. 그런데 본생담의 주제는 매우 단순합니다. 자기헌신이며 희생이며, 자비며, 사랑입니다. 즉 역사적 싯달타가 얼마나 오랜 시간을 거친 자비행을 통하여 해탈을 이룩할 수 있었나 하는 대승정신의 드라마틱 프리젠테이션인 것입니다. 즉 자타카는 사실적 스토리로서의 역사성에 그 의미가 있는 것이 아니라, 대승 6

바라밀의 제1명제인 보시의 멧세지를 구현하기 위한 문학적 선포로서 그 일차적 의미를 지니는 것입니다. 예수의 전기도 자타카와도 같은 하나의 문학적 양식으로서 초대교회에 유행했던 하나의 현상이었으며, 이 현상의 단초를 형성한 것의 전형을 「마가복음서」라든가, 「Q자료」라든가,[89] 하는 것들을 들 수 있지만 최소한 우리가 알고 있는 복음서 이외로도 수백개의 다른, 매우 다양한 주제와 고유명사들이 등장하는 복음서(전기문학)가 만들어졌다는 것입니다. 그 수백개의 일부를 우리가 지금 체노보스키온 문서(나하그 함마하디 라이브러리)에서 발견하고 있는 것입니다. 그리고 이러한 수백개의 복음서 중에서 오늘의 4복음서체제가 성경으로서 고착된 것은 AD 4세기경에나 내려와서 이루어진 사건일 뿐입니다. 그리고 그 사건을 주도한 사람들은 지독하게 영지주의를 혐오하고 박해했던 알렉산드리아의 주교 아타나시우스(Athanasius, 293~373) 같은 사람들이었습니다."

"지금 말씀하신 것의 요체는 초기기독교의 원래 모습은 영지주의라는 영적인 운동(spiritual movement)으로 출발한 것이며, 복음서에서 말하는 예수의 모든 것은 오히려 그러한 영적 운동을 구체적인 역사적인 사건으로 만들기 위한 후대의 문학적 구성이었다 하는 말씀이군요."

"그렇습니다."

"그렇다해도 그러한 영적 운동의 실체를 인정한다면, 그 영적 운동의 배경으로서, 지금 우리가 말하는 예수의 생애를 구현한 어떤 역사적 인물이 나사렛과 예루살렘에서 활약했다고 하는 사실 그 자체마저 거부할 필요는 없지 않겠습니까?"

시바는 인도의 가장 인기높은 신이다. 그런데 시바신은 인간의 형상으로 숭배되지 않는다. 그를 나타내는 것은 그의 성기이다. 모든 시바의 사원의 핵심부, 지성소에는 거대한 남성의 성기가 모셔져 있다. 인도는 이 지상에서 가장 노골적인 남근숭배(phallic cult)의 문명이다. 이 발기한 남근 링감(Lingam)은 반드시 여성의 성기, 요니(Yoni) 속에 박혀 있다. 요니는 시바의 모든 여성배우자(Shakti)의 성기를 상징한다. 성교 그 자체를 우주의 생성의 근원으로 간주한 것이다. 링감과 요니는 음과 양이 분리될 수 없다는 세계관을 나타낸 것이다. 그리고 이 링감 · 요니의 숭배는 아리안 이전의 드라비다 토속문화에 속하는 것으로 본다. 하랍파유적에 링감의 조형이 발견된다. 남녀노소 할 것 없이 이 거대한 남근앞에 싱싱한 꽃, 청정한 물, 풀잎의 새싹을 바치면서 경배한다. 엘로라 카일라사 사원에서.

## 그노스틱스와 리터랄리스트

나는 달라이라마의 날카로운 질문에 좀 충격을 받았다. 그에게 나의 언변은 매우 생소한 것들이었을 것이다. 그리고 장황할 수도 있는 나의 이야기를 매우 진지하게 경청했을 뿐 아니라, 중간에 이해가 안되는 대목이 있으면 반드시 되묻고 이해를 하고서야 넘어갔다. 나의 이야기를 막는 법이 없었으며 나의 이야기가 소기하고자 하는 의미맥락이 완벽하게 드러날 때까지 나로 하여금 이야기를 계속하게 만들었다. 내가 대화의 초장부터 받은 달라이라마의 인상은, 그는 매우 이지적인 사람이었으며, 무한한 지적 호기심의 소유자였다는 것이다. 그리고 상대방을 홀대하는 자세가 전무했다. 그는 자비와 지혜의 상징이었다. 나는 곧 편안하게 이야기를 계속했다.

“현대사회에 있어서도 어떤 추상적 정신운동이 구체적인 현실적 사례의 모델이 없이도 크게 성공할 수 있습니다. 그러나 여기서 말하는 그노스티시즘의 영적 운동이 예수에 해당되는 어떤 역사적 실체로부터 연유된 것일 수도 있지만, 이 때 중요한 것은 그러한 역사적 실체는 당시 로마의 압제 속에서 신음하던 유대인 식민지 사회에서 수없이 존재할 수 있는 사례의 한 계기에 불과한 것이며, 그것의 역사성은 전혀 중요한 것이 아니라는 것입니다. 즉 사도바울이나 초대교회인들의 비젼은 그러한 역사성에서 유래된 것이 아니며, 더 더욱 중요한 것은 예수라는 사건을 역사적으로 해석함으로써 그들의 신앙의 의미를 발견한 것이 아니라는 것입니다. 힌두교도들이 시바와 파르바티, 카마, 강가의 이야기나 비슈누의 일곱번째 화신인 라마의 이야기를 역사적 사실로서 해석하기 때문에 의미를 발견하는 것은 아니라는 것입니다. 그러나 예수의 전기를 만든 사람들은 점점 예수를 신빙성있는 역사적 인물로서 꾸미게 되었고, 또 그러한 예수의 생애를 역사적 사실로서 이해함으로써 그 구속사적 사건 속에서 강력한 신앙의 의미를 발견하려고 한 사람들의 부류가 점차 늘어나게 되었습니다. 이러한 새로운 부류를 프레케와 간디는 리터랄리스트(the

동네 서낭당 같은 곳에 모셔진 미니 링감과 요니. 시바의 성기 링감을 그의 충직한 시종 난디(황소)가 무릎끓고 쳐다보고 있고, 시바의 큰아들 가네샤(코끼리)가 같이 지키고 있다. 사람들은 여기 오면 위에 매달려 있는 종을 쳐서 신들을 부른다. 때로 요니의 홈에 우유를 부어 성교의 생생한 느낌을 나타내기도 한다. 정말 코믹한 성소의 모습이었다. 요니는 시바(남성) 속에 내재하는 여성적인 성적 에너지일 수도 있다. 아그라 시장에서.

Literalists)라고 부르는데, 결국 초대교회의 역사는 이 영지주의 기독교인과 리터랄리스트 기독교인의 대립과 투쟁의 역사라고 말할 수 있다는 것입니다. 이 영지주의 신화론자에 대한 리터랄리스트 사실론자들의 승리를 기록한 사건이 바로 콘스탄티누스 대제(Flavius Valerius Constantinus, 280~337)가 주재한 니케아 종교회의(Council of Nicaea, 325년에 열림. 니케아는 현 터키의 이즈니크[İznik]다)였습니다. 니케아 종교회의의 목적은 매우 단순합니다. 그것은 '아리우스 죽이기'였습니다. 그것은 알렉산드리아 주교 아리우스(Arius, c. 250~336)로 인하여 동방교회에 야기된 아리아니즘(Arianism)의 제문제를 해결하기 위한 것인데, 아리아니즘의 핵심은 예수는 인간일 뿐이며, 따라서 성부·성자·성신의 삼위일체는 본질적으로 인정될 수 없다는 것입니다. 이러한 아리우스의 주장은 외면적으로 보면 매우 역사주의적이고 사실주의적이고 과학적인 주장처럼 보입니다. 그런데 실상은 그 정반대입니다. 아리우스의 주장은 니케아 종교회의에서 규정한 대로 성부와 성자가 하나의 실체(*homoousios*)라고 한다면, 성자는 인간일 수밖에 없으며, 성자의 성부와의 절대적 동일성을 주장한다면 그것은 곧 인간이 신이라고 하는 것을 인정해야 한다는 것입니다. 그런데 정통파의 삼위일체론은 실제로 예수에게서 인성을 제거시키려는 것이며 로고스로서의 예수를 격하시키려는 것입니다. 예수는 인간일 수밖에 없다는 아리우스의 주장은 무신론의 주장이 아니라, 오히려 네오플라토니즘(neo-Platonism)적인 신성의 일체감을 표현하는 말이며, 리터랄리스트의 주장보다 훨씬 더 신비주의적이며 기나긴 영지주의 전통을 구현하고 있는 것입니다. 그런데 니케아 종교회의는 아리우스가 예수를 인간구원의 능력이 없는 허약한 피조물로 타락시켰다고 몰아쳤고, 이단으로 정죄했습니다. 이로써 리터랄리스트들이 삼위일체론의 정통파가 되었고 로마교회의 주류가 되었으며, 영지주의자들은 하루아침에 이단으로서 철저히 왜곡되기 시작됐고, 모든 문헌으로부터 말살되는 수난을 겪기 시작했습니다.

우리 한국에서는 조선왕조의 말기에 카톨릭교리를 서양에서 들어왔다고 해서 서학이라고 했고, 그 서학은 인간을 옥황상제 밑에 예속시키는 굴종적인 샤마니즘적 종교라고 보았고, 이에 대하여 우리의 본래적인 사상을 표방하는 혁명적인 민중운동으로서 동학이라는 종교가 대립했습니다. 그런데 이 동학은 인간이 하느님께 예속되는 것이 아니며 인간과 하느님은 하나일 수밖에 없다는 인내천(人乃天)사상을 주장했습니다. 사실 우리 동학의 인내천사상은 그노스틱스의 로고스사상과 더 잘 통할지도 모르겠습니다.[90] 제가 이런 말씀을 드리는 이유는 우리나라 동학과 서학의 대결의 정신사적 디프 스트럭쳐가 니케아 종교회의 속에도 똑같이 있었다는 것을 의미한다는 것입니다."

"그런데 왜 로마교회가 아리우스를 이단으로 몰았습니까? 콘스탄티누스 대제가 기독교신앙을 공인하면서[91] 아리우스 같은 사상가의 입장을 포용할 수도 있었던 것 아닙니까?"

"콘스탄티누스 대제는 종교적인 인물이라기 보다는 정치적으로 매우 교활한 인물이었습니다. 사실 서로마의 운세는 이미 기울기 시작했고, 그가 기독교를 공인하려 했던 것은 기독교의 대세에 밀렸기 때문이라기 보다는 기독교를 역이용하여 쓰러져가는 로마제국을 재건하려 했던 것이죠. 기독교를 정치적으로 이용하여 기울어져가는 로마제국의 새로운 정신적 일체감의 기초로 삼으려 했던 것입니다. 이러한 목적에서 본다면 영지주의와 같은 신비주의·개인주의, 그리고 우리 동학처럼 신과 인간을 하나로 이해하는 신인(神人, godman)의 로고스론은 제국주의의 하이어라키를 정당화시키는 데는 매우 불편합니다. 즉 리터랄리스트의 권위주의적 주장이 로마제국의 정치적 음모를 위해 더 적합했던 것이죠. 하나의 신, 하나의 종교, 하나의 제국, 하나의 황제 밑에 모든 것이 예속되는 것을 리터랄리스트들이 정당화시켜 주었고 이러한 로마제국의 하르모니아(*harmonia*, 기독교와의 제휴)의 기반은 비잔틴제국(4~15세기), 카로링기안제국(8~9세기), 그리고 중세 게르만의 신성로마제국(8세기~1806)에 의하여 계승되었습니다. 다시 말해서 제가 이런 말씀을 드리는 가장 근본적인 소이연은 종교는 정치적 권력과 분리되기 어렵다는 것이며, 종교가 정치적 권력의 정당화를 위하여 사용될 때, 정통과 이단의 심각한 분열이 일어난다는 것입니다.

그리고 오늘날까지 예수의 신화를 사실로서 믿고 사는 사람들은 암암리에 로마제국의 정치적 권력의 음모를 아직도 벗어나지 못하고 있다는 것을 의미합니다. 로마제국은 사라졌지만, 로마제국의 정신적 구속력이 아직도 허깨비로 남아있는 셈입니다. 20세기의 위대한 서양철학자 화이트헤드(Alfred North Whitehead, 1861~1947)는 그의 주저 『과정과 실재』 속에서 서양인들은 신을 믿고 있는 것이 아니라 실제로는 로마황제를 믿고 있다고 말했는데 참으로 날카로운 지적이지요." [92]

석양에 땔감을 이고 집으로 돌아오는 인도의 여인들. 파트나로 가는 길에.
이들에겐 과연 신이나 신화의 의미가 무엇일까?

## 신앙은 이성이다

이런 얘기를 주욱 듣고 있다가, 갑자기 달라이라마는 나보고 칭호를 무엇으로 하면 좋겠냐고 물었다. 그래서 나는 나의 모국에서는 보통 "도올선생"이라는 말로 불리운다고 설명했다. 그런데 "도올선생"이라는 호칭에 대한 나의 영역은 "마스터 스톤"(Master Stone)이었다. 그랬더니 왜 하필 "마스터 스톤"이냐고 했다. 그래서 나는 어려서부터 "돌대가리"라고 불리었기 때문에 그런 호칭이 붙게 되었다고 설명했다. 그랬더니 그는 깔깔 웃으며 다음과 같이 말을 이었다.

"돌대가리가 아니라 불·법·승 삼보의 보석대가리라고 해야겠군요. 여태까지 도올선생께서 기독교역사나 교리에 관한 최근의 학설을 친절하게 소개해주신 것을 매우 감사하게 생각합니다. 저는 도올선생처럼 그렇게 다방면으로 디테일한 학문적 성과들을 섭렵할 수 있는 기회는 별로 없었습니다만, 한가지 명료한 것이 있습니다. 신앙은 반드시 이성에 의하여 뒷받침되어야 한다는 것입니다. 어떠한 경우에도 종교에 대한 이성적 탐구가 종교적 신앙을 해치지는 아니한다는 것입니다. 다시 말해서 종교적 신앙은 어떠한 이성적 공세에서도 살아남을 수 있어야 한다는 것입니다. 티벹말에는 이런 말이 있습니다. '이성에 바탕을 두지 않은 믿음을 가진 사람은 아무데로나 흘러갈 수 있는 개울물과 같다.'"

신앙에 관해 이성의 검증을 강조하는 달라이라마의 이러한 태도는 나로서는 너무도 반가운 것이었다. 나는 말을 이었다.

"그런데 불행하게도 이 세계의 많은 신앙인들이 이성적 탐구는 신앙의 체계를 붕괴시킨다고 생각합니다. 중세기의 모든 신학체계가 이성의 빛(*lumen naturale*)과 은총의 빛(*lumen gratiae*)을 대립적으로 파악했으며, 이성의 힘으로는 도저히 초자연적이고 비합리적인 신앙의 세계를 이해할 수 없다고 주장했습니다. 예수의 신비가설(The Jesus Mysteries Thesis)도 많은 사람들이 기독교신앙을 근원적으로 붕괴시키는 위험한 학설로서 생각할 것입니다. 예를 들면, 그렇게도 재빨리 서구 신학사조를 소개하는 한국의 신학계가 아직도 이 책에 대해서는 함구불언하고 있는 정황만 보아도 그렇지요. 그렇지만 저는 이러한 가설이, 저자들도 말하는 것이지만, 기독교신앙을 붕괴시키는 것이 아니라, 오히려 기독교신앙의 잃어버린 측면들, 기독교가 정치권력과 결탁되면서 크라이스트의 적으로서 휘몰아 친 이단사상들의 긍정적 측면들을 재생시킴으로써 오히려 기독교신앙의 본질을 풍요롭게 만들고 있다고 생각합니다."[93]

"저는 세계평화에 대한 의식이 들면서부터 줄곧 종교간의 대화를 강조하여 왔습니다. 저는 여태까지 많은 기독교의 영적 지도자들을 만났습니다. 그리고 내가 느끼는 것은 기독교의 교리는 매우 배타적인 것 같지만, 실제로 기독교를 통하여 높은 영적 차원에 도달한 모든 사람들은 그렇게 유치한 방식으로 유일신관을 주장하지는 않는다는 것입니다. 그리고 기독교에 대한 새로운 이해방식에 대해서도 상당히 개방적인 태도를 유지하고 있습니다."

"저도 달라이라마께서 베네딕토 수도회 세계 그리스도교 명상공동체(The World Community For Christian Meditation)에서 주관하는 존 메인 세미나에서 행하신 연설을 묶어낸 『더 굳 하트』(*The Good Heart*)라는 책을 감명 깊게 읽어보았습니다.[94] 그러나 그 책 속에서는 아무런 본질적 논의가 오가고 있지 않다는 데 많은 사람들이 실망을 느낄 것입니다. 제가 받은 감명이란 그저 달라이라마께서 개방적 태도로서 그러한 자리에 서서 자신의 느끼는 바를 담담하게 이야기한다는 그 자체가 주는 감동이랄까, 혹은 그 자리에 있었던 몇몇 사람들이 현장에서 느낀 감동적 분위기를 전달하는 언어를 통해서 간접적으로 느낀 약간의 감상에 그치는 것이었습니다. 거두절미하고 복음서들의 몇 구절을 달라이라마께서 느끼신 대로 강의한다는 것은 매우 인상론적, 그러니까 좀더 솔직하게 표현하면 피상적인 인상 몇 마디를 주고받는 것에 지나지 않습니다. 그리고 그 자리의 경건주의적 분위기, 이러한 것들은 현대를 살아가는 생각있는 사람들에게 아무런 구체적 생각의 실마리를 던져주지 못합니다. 즉 달라이라마께서 주장하시는 종교간의 대화가 그러한 인상의 교환으로 이루어지는 것은 아니라는 말씀입니다. 저의 표현이 좀 지나쳤나요?"

"그렇지 않습니다. 지적하신 비판은 나도 달갑게 받겠습니다. 그러나 그러한 모임 자체가 사상가들간의 지적 대화의 자리가 아니라, 현실적인 종교적 지도자들 사이의 정중한 만남의 자리며, 그러한 만남이 지니는 상징적 의미를 좀 평가해주서야 할 것 같습니다. 기성종교간의 문제는 매우 섬세합니다. 그리고 하루아침에 본격적인 교류를 바랄 수는 없습니다. 인내심을 가지고 조금씩 조금씩 접근해가야겠지요."

"모든 종교는 그 윤리적 측면에서는 공통분모를 찾기가 매우 쉽습니다. 즉 모든 종교가 인간의 보편적 선을 지향한다든가, 인간의 행복을 위하여 노력한다든가, 인간을 고통스러운 현실로부터 구원한다든가, 정신적인 평화를 안겨준다든가 하는 윤리적 목표에 있어서는 모든 종교는 쉽게 대화할 수 있습니다. 이러한 윤리적 목표가 근원적으로 거부된다면 그것은 사교에 지나지 않습니다. 예를 들면, 교주의 사리사욕을 채우기 위한 것이라든가, 한 교단의 재정적 축적을 위한 것이라든가 하는, 보편적 윤리감각이 결여된 종교운동은 모두 그 자체의 결함에 의하여 괴멸되어버리고 말 것입니다. 다시 말해서 윤리적 목표의 씰링(천정)이 낮을수록 그 종교는 영향범위가 좁아지는 것입니다. 그러나 윤리적 목표의 씰링이 높은 보편종교의 경우에도 그 윤리적 목표를 달성하는 방식, 그리고 그것을 표현하는 언어, 그리고 그 언어적 감각이 담고 있는 문화적 양태는 매우 상이할 수가 있습니다. 이러한 상이성의 배후에는 매우 본질적인 인식의 차이가 있을 수 있으며, 이 인식의 차이는 조화시키기 어려운 교리의 상이성을 유발시키고 있는 것입니다."

"내가 종교의 대화라는 말을 할 때에는 종교간의 상이성을 거부한다는 맥락이 전혀 개입되어 있지 않습니다. 나는 종교간의 공통점을 찾기 위해서 대화를 해야한다고 생각하지도 않습니다. 오히려 종교는 서로간의 차이를 명료하게 인식하기 위해서 대화를 해야하는 것입니다. 그리고 종교간의 대화가 개종이나 교리의 혼합을 유발하는 것도 바람직하지 않습니다. 기독교인은 기독교인 나름대로, 불교도는 불교도 나름대로 자기의 종교적 목적을 충실히 달성해야 하는 것입니다. 우리 티벹에는 '양의 몸에 야크의 머리를 올려놓지 말라'라는 속담이 있습니다. 중론의 완성자인 나가르쥬나도 '모든 것을 같게만 보려고 하면 모든 것이 같아질 수밖에 없다'라고 말했습니다. 그런 생각을 극단적으로 밀고 들어가면 삼

무굴제국이 남긴 가장 위대한 예술품으로서 나는 서슴치 않고 이 아크바르(Akbar)대제의 초상화를 들겠다. 비록 자화상은 아니지만 우리나라 공재 윤두서의 초상화와 비견할 만한 걸작이라 하겠다. 가장 위대한 제국의 풍모를 완성한 황제의 모습이건만 그 조촐한 인간미, 확고한 판단력, 인간의 희비를 관조하는 듯한 관용미, 그리고 거친 전투적 삶의 역정이 역력히 드러나 있다. 이 초상으로 무굴제국의 지배자들이 우리나라 시골 아저씨와 하나도 다를 바 없는 몽골리안들이었다는 것을 너무도 실감할 수 있다. 후마윤의 뜻밖의 죽음으로 13세에 왕위에 오른 그는 무용과 관용, 탁월한 치세의 방략을 과시하면서 50년간 무굴제국의 기틀을 완성하였다. 이 초상화는 1605년 죽기 직전에 제작된 것으로 보인다.

라만상의 모든 존재가 단 한 개의 일양적 존재로 축소되어 버리고 말 것입니다."

"그렇다면 종교는 선택의 자유가 보장되어야 하며, 모든 사람들의 음식의 기호가 다르듯이 자기에게 맞는 종교를 선택해야 한다는 뜻입니까?"

"그렇습니다. 인도사람들은 흔히 이 지구상의 인구 숫자만큼의 다른 종교가 필요하다고 말합니다. 종교는 궁극적으로 개별화될 수밖에 없다는 것이지요. 폴 틸리히라는 서양의 신학자가 신을 가리켜 궁극적 관심(Ultimate Concern)이라고 표현했다는데, 그렇다면 그 궁극적 관심은 인간마다 다 다를 것이 아닙니까? 물론 그 궁극성에 어느 정도의 공통성은 있다 하더라도. 나는 보편종교를 신봉하지 않습니다. 모든 종교의 교리를 인수분해해서 만든 하나의 보편적 종교의 가능성을 믿지 않습니다. 무굴제국의 아크바르는 매우 종교에 대해 관용심이 컸던 사람이고 모든 종교를 섭렵한 끝에 그 모든 종교의 장점만을 딴 '딘 이 일라히'(din-i-Ilahi, Religion of God)라는 보편종교를 만들었지만,[95] 결국 그가 포섭한 어떠한 종교인들에게도 만족감을 주지 못했습니다. 종교를 서로 풍성하게 만드는 대화를 나누기 위해서는 하나의 전제가 필요합니다. 그것은 세상 사람들의 다양성을 깨닫는 일입니다. 이 지구에는 다양한 정신적 성향과 관심, 영적 기질, 그리고 문화적 풍토, 언어적 감각과 기호, 심미적 통찰이 존재한다는 것입니다. 그러한 다양성에 따라 종교적 해결도 다양한 선택이 있을 수밖에 없습니다. 이 다양성을 말살시키면 오히려 인류에게 해악을 끼치는 것입니다."

"성하의 말씀은 너무도 지당하신 것이며 양식있는 사람이라면 누구든지 그러한 성하의 견해에 충심의 동의를 표시할 것입니다. 그러나 성하의 그러한 논의는 매우 원초적이며 목가적입니다. 우리가 종교간의 대화를 논의하는 가장 큰 이유는 종교와 결탁된 정치권력이 인간세상에 더 말할 나위 없는 폭력을 행사해왔기 때문

파테푸르 시크리에 있는 아크바르 대제의 개인 접견실, 디완이카스(Diwan-i-khas). 2층으로 되어 있는 건물인데 들어가면 하나의 거대한 홀이고 그 중앙에 한 돌기둥이 우뚝 서있다. 구자라트 공포 양식을 겹쳐 만든 힌두 만다라양식의 기둥 꼭대기에 대제가 앉아있다. 그리고 그곳은 사방으로 통로가 나있다. 아크바르는 사람들을 여기서 접견하였다. 알현하는 사람은 바닥에 있기 때문에 그를 볼 수가 없다. 이 접견실은 신비로운 구조를 가지고 있다. 그는 엄청난 지적 호기심의 사람이었고 끊임없이 다양한 신념의 사람들과 대화를 즐겼다. 그리고 모든 종교와 인종을 관용했고, 그들로부터 배울려고 했다. 그런데 놀라운 사실은 아크바르는 완전히 문맹의 인간이었다는 것이다. 그는 대화, 대독, 암송, 그림책을 통해서 지식을 흡수했다. 이 접견실의 구조는 그의 개방성과 동시에 암살을 방지하려는 무장의 치밀함을 보여준다. 그의 자리는 우주를 굴리는 법륜의 주축을 상징한다.

성군 아크바르의 입김이 서려있는 파테푸르 시크리로 가는 새벽 길.
옆 사진은 아크바르가 짓기 시작한 아그라 포트(Agra Fort)의 야경.
아크바르는 군사적 요새로 지었으나 그의 손자 샤 자한이 이 성채를 화려한
궁전으로 개축, 완성시켰다. 그러나 결국 이 아그라 포트는 샤 자한의 감옥이 되고 말았다.

입니다. 인류의 대부분의 전쟁이 종교적 신념의 차이를 빌미로 하여 일어난 것입니다. 인류의 참혹한 전쟁의 대부분이 합리적인 설명이 불가능한 종교전쟁인 것입니다. 성하의 말씀처럼 종교간의 다양성을 공인하고 관용하고 존중한다는 것은 매우 바람직한 현상이지만 이러한 현상의 가장 나이브한 결론은 또 다시 그러한 다양한 종교간의 공존상태에서 어느 종교가 가장 인기를 얻어 헤게모니를 잡느냐 하는 위장된 에반젤리즘의 병폐로 귀결되어 버리고 만다는 것입니다."

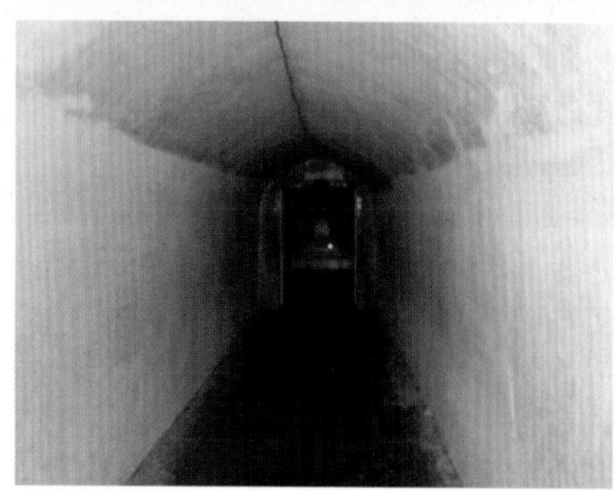

아크바르 진묘로 가는 길. 나는 그곳에서 『꾸란』구절을 묘지기를 따라 암송했다. 묘한 여운이 지하의 어둠속으로 깊게 퍼져나갔다.

# 에반젤리즘의 한계

"그것은 또다시 에반젤리즘(evangelism, 전도주의)의 본질에 관한 논의를 해야겠지요. 모든 종교현상에 있어서 에반젤리즘은 필연적일 수밖에 없는 현상입니다. 자기가 깨달은 바나 믿는 바가 자기실존에 거대한 기쁨으로 다가올 때, 그 기쁨을 타인과 나누고 싶어하는 충동은 거의 본능적이라 말할 수도 있습니다. 그러나 이렇게 자기가 깨달은 것이나 믿는 것을 타인에게 전달하는 과정에서 무리가 발생하는 것도 사실입니다. 채식을 실천해보니 너무도 좋다고 해서, 고기를 안 먹고 살 수 없는 사람들에게 무조건 채식을 강요할 수는 없는 것입니다. 나에게 좋은 것이 꼭 타인에게도 좋으리라는 보장은 없습니다. 그러나 내가 실천해보니 정말 좋다고 생각될 때에 그것을 남에게 권유해볼 수는 있습니다. 나는 종교적 진리도 권유(exhortation) 이상의 전도주의를 표방해서는 아니 된다고 생각합니다. 종교적 진리의 선택은 전도인의 소관이 아니라 피전도인의 주체적인 결단이 될 수밖에 없습니다. 그런데 더 중요한 것은, 모든 종교적 진리는 객관적 진리가 아니라 체험의 진리가 될 수밖에 없으며, 체험의 진리라 하는 것은 자각의 진리일 수밖에 없다는 것입니다. 불교는 인간 개인의 '자각'을 전제로 하지 않고서는 성립할 수 없습니다. 그러므로 불교의 에반젤리즘은 타인에게 자각의 계기를 제공하는 그러한 선업(善業) 이상의 의미를 지닐 수 없습니다. 교세를 확장한다든가, 나의 신념의 동조자를 구한다든가 하는 세속적인 행위를 해서는 아니 됩니다. 그것은 전도가 아니라 권력의 야욕에 불과합니다. 불타의 45년간의 전도의 삶은 끊임없는 '유행'(遊行)이었습니다. 그것은 '안주'(安住)가 아니며 '상주'(常住)가 아니었습니다. 상주는 결국 집단적 권력의 확대를 꾀하게 됩니다. 그리고 그의 유행의 수단은 걸식이었습니다. '걸식'은 남에게 폐를 끼치기 위한 것이 아니라, '무소유의 실천'을 위한 것이었습니다.

그리고 한가지 덧붙여 말하고 싶은 것은 불교는 인류사에 있어서, 기독교가 십자군전쟁 등 끊임없는 제국주의 전쟁의 주도적 역할을 한 것과는 달리, 인류를 파멸로 휘모는 그러한 전쟁의 주체가 되지는 않았다는 것입니다. 박해를 당했으면 당했지 폭력으로 맞서지 않았다는 것입니다. 이것은 불교가 지니는 교리내용이나 승가의 성격이 기독교와는 좀 상이한 어떠한 요소를 내포하고 있다는 것을 의미할 것입니다."

“불교의 에반젤리즘의 성격이 기독교의 그것과는 매우 다른 것이라 할지라도, 역시 에반젤리즘이라는 측면에서는 하등의 차이가 없습니다. 저는 어려서부터 불교는 전혀 전도를 하지 않는 종교처럼 생각했는데, 미국 대학에서 강의를 듣는데 미국인 교수들이 불교가 중국에 들어오는 과정을 설명하면서, ‘세계사에 유례를 보기 힘든 전도주의적 열정’ 운운하는데 좀 깜짝 놀랐습니다. 그래서 가만히 생각해보니까, 19·20세기에 기독교의 선교사들이 동아시아를 침투하는 과정이나 위진남북조시대에 인도의 승려들이 중국을 침투하는 과정이 결과적으로 별 차이가 없는 세계사적 사건에 불과하다는 생각에 눈이 번쩍 뜨이게 되었습니다. 불교는 전도를 표방하지 않는 듯하면서 무서운 전도의 괴력을 발휘하는 무서운 힘이 있습니다. 독일학자 취르허(E. Zürcher)는 위진남북조시대 불교의 전래를 ‘불교의 중국정복’(*the Buddhist Conquest of China*)이라고 표현했습니다. ‘콘퀘스트’(conquest, 정복)라는 단어를 그의 명저의 제목에 썼던 것입니다. 오스왈드 슈펭글러의 말대로, 중국문명과 인도문명처럼 지정학적 격절에 의하여 독자적으로 성장해온 유기체들이 이렇게 대규모의 교류를 단기간에 집약적으로 수행했다는 것은 참으로 놀라운 에반젤리즘의 열정입니다.”

“그것은 아마도 불교가 공격적이래서가 아니라 중국문명내에 불교를 수용하지 않으면 아니 되었던 내적 여건이나 사상적 토대가 있었기 때문이겠지요. 불교는 중국인들의 자각을 도와주었을 뿐일 것입니다.”

아잔타 제19 석굴의 한 부조. 저 구석에 싯달타가 득도한 후 카필라성에 돌아와 부인 야쇼다라와 12세의 아들 라훌라를 만나는 장면이 그려지고 있다. 부인 야쇼다라는 유산을 요구한다. 그러나 붓다는 불법이외의 어느 것도 자식에게 유산으로 남겨줄 것이 없었다. 라훌라는 최초의 사미가 되었다. 붓다와 그 외의 인물묘사에 동체 비례가 크게 차이가 나는 것은 바로 붓다의 위대성을 드러내는 상징적 수법이다.

"상당히 통찰력 있는 말씀이십니다. 슈펭글러는 인도와 중국의 불교교류에 있어서도 불교의 외연(denotation)은 전래되었을지 모르지만 그 내포(connotation)는 전달되지 않았다고 얘기했습니다. 같은 언어체계, 같은 제식, 같은 상징이 전이되었다 할지라도 양자는 자기의 고유한 길을 걸어갈 뿐인 두 개의 다른 영혼이었다라고 표현했습니다. 결국 불교가 중국문명에 발을 들여놓을 수 있었던 것은 동한제국문명의 말기로부터 위진시대에 걸쳐 현학(玄學)이라고 하는 노장사상이 성행하여 불교를 받아들일 수 있게 하는 정신적 토양을 깔아주었기 때문이었습니다. 며칠 전에 작고하신 저의 스승 후쿠나가 미쯔지(福永光司, 1918~2001)선생은 중국에 있어서의 불교의 전개는 노장사상에 의한 격의불교(格義佛敎)의 역사일 뿐이라는 테제를 제시했습니다. 여기 격의불교라고 하는 것은, 불교의 생소한 이론들을 자기들에게 친숙한 도가계열의 개념을 빌어 이해하는 것을 의미합니다. '불타'(Buddha)를 장자가 말하는 '진인'(眞人)으로 이해한다든가, '열반'(nirvāṇa)을 노자가 말하는 '무위'(無爲)로, '보리'(bodhi)를 '도'(道)로 이해한다는가 하는 식으로 말입니다. 그렇게 보면 티벧불교는 중국불교에 비해 격의가 최소화된 인도 본연의 모습에 가까운 불교를 보존하고 있다고도 말할 수 있겠죠."

"모든 문명의 교류는 필연적으로 왜곡과 변용을 수반하지 않을 수 없습니다."

## 기독교는 본래 아시아대륙의 종교

"그런데 지금 논의가 조금 빗나가 버렸습니다. 제가 제기한 문제, 종교적 진리의 다양성의 관용이 또 다시 종교간의 에반젤리즘의 충돌을 불러일으킬 수도 있다고 하는 문제는 결코 성하께서 답변하신 방식으로는 해결되지 않는다는 것입니다. 여기 앞으로 종교간의 충돌이라고 하는 우리 인류사의 중요한 문제를 해결하기 위하여서는 단순한 다양성의 관용 이상의 어떤 종교에 대한 본질적 이해가 요청된다는 것입니다. 저는 뉴잉글란드로 건너간 청교도들보다도 더 순결하고 엄격한 기독교신앙을 가지신 어머님 슬하에서 자라났고 한때 목사가 되기 위해 신학대학까지 들어갔습니다. 그런데 저는 대학에서 도가철학을 전공했습니다. 그러다가 저는 또 한때 절간에서 승려생활까지 했고 불교경전을 깊게 공부했습니다. 그런데 제가 가학으로 물려받은 것은 엄격한 유교입니다. 우리나라에서 제 세대의 사람으로서 유교경전을 저만큼 폭넓게 몸에 익히고 있는 인간도 그리 많지는 않습니다. 그렇다면 도대체 나는 무엇인가? 부디스트? 크리스챤? 따오이스트? 콘퓨시안? …… 사실 저는 성장과정에서 종교적 문제로써 엄청난 갈등을 겪었습니다. 성하처럼 단일한 색깔의 문명 속에서 단일한 종교적 목표를 향하여 성장하신 분은 저 같은 인간이 지니는 갈등과 고민을 상상은 하실 수 있을지 몰라도 결코 체득하실 수는 없으실 것입니다. 한 인간의 내면 속에서 일어나는 다른 제도종교의 신념의 갈등은 매우 폭력적이며 결코 쉽게 조화될 수 있는 문제가 아닙니다. 저는 사실 아크바르 같은 사람의 시도의 내면에 깔린 고뇌를 충분히 짐작할 수가 있습니다.

성하를 뵈옵자마자 저는 프레케와 간디의 최근 연구성과를 말씀드렸습니다만, 제가 이들의 가설을 뒷받침하는 스칼라십의 수준이라든가 생각의 깊이에 완벽하게 동의하기 때문에 말씀드린 것은 아닙니다. 제가 이들을 가상히 여긴 것은 발상의 전환입니다. 문제되는 것을 다 피해가는 피상적인 종교간의 대화보다는 한 종교에 대한 보다 깊은 이해가 본질적인 대화를 가능케 만들 수도 있다는 것입니다. 최근에 발견된(1945년에 발견되어 근 30여 년의 정리작업을 거침) 나하그 함마하디 영지주의문서를 들여다 보고 있으면 초기기독교운동이 얼마나 복잡한 갈래의 운동이었는가, 그리고 지중해연안에 산재해 있던 유대인 콤뮤니티의 종교적 성향 속에 얼마나 다양한 갈래의 신학체계들이 있었는가 하는 것을 짐작

할 수 있게 하는 것입니다. 다시 말해서 초기기독교의 원래적 모습을 천착해 들어가면, 우리가 지금 기독교라고 규정하고 있는 어떠한 신앙체계의 절대성이 붕괴될 수 있으며, 그 신앙체계 배면의 다양한 인식체계의 정당성에 눈을 뜨게 된다는 것입니다. 다시 말해서 정통과 이단의 의미가 역으로 나타날 수도 있으며, 더 중요한 것은 오늘 우리가 규정짓고 있는 정통과 이단의 구분근거가 전혀 무의미해질 수도 있다는 것입니다.

둘째로 우리가 알아야 할 것은 하나의 종교에 대한 진실한 이해를 천착해 들어가면 갈수록 그 종교가 형성되어간 과정에 대한 이해를 하지 않을 수 없으며, 그러한 형성과정(formative process)에 대한 다이내믹한 고찰을 해보면 해볼수록 하나의 종교 그 자체가 이미 오늘날 우리가 시도하려는 종교간의 대화 이상으로 이미 엄청난 문화·종교현상의 교류의 산물이라는 것입니다. 기독교는 원래 기독교로서 고존(孤存)한 것이 아니라 수없는 교류 속에서 장구한 세월에 걸쳐 다이내믹하게 그 아이덴티티를 형성해갔다는 그 사실에 눈을 떠야한다는 것입니다. 불교도 유교도 이슬람도 마찬가지입니다. 원시불교를 말하려면 베다나 우파니샤드나 쟈이니즘이나 육사외도 등의 교류된 다양한 체계들을 언급하지 않을 수 없듯이, 원시기독교를 말하려면 그노스티시즘을 말하지 않을 수 없고, 이것은 희랍의 올페이즘이나 이집트의 헤르메티카, 그리고 특히 페르시아의 조로아스터교의 이원론을 말하지 않을 수 없으며 그리고 후대에 중국에까지 크게 위세를 떨친 마니교, 그리고 이란과 인도에 공통된 신화적 세계관과의 관련성을 말하지 않을 수 없는 것입니다.

우리는 불행하게도 기독교하며는 당연히 서양의 종교인 것처럼 생각하지만 그것은 기독교가 로마제국의 국교로 채택된 이후 라틴 웨스트를 중심으로 발전해왔기 때문에 그러한 인상을 주는 것뿐입니다. 기독교는 본래 아시아대륙의 종교며, 소아시아-페르시아-인도로 걸치는 문명권에 깔려있는 신비주의의 소산이라는 것입니다. 기독교의 역사를 라틴 웨스트를 중심으로만 보는 것 그 자체가 하나의 거대한 이단일 수도 있는 것입니다."

뭄바이 시내 한복판, 배화교(조로아스터교)사원의 입구에 서있는 화라바하르(Faravahar) 성상. 조로아스터교의 한 상징인 미트라(Mithra)는 기원전 272년 12월 25일 동정녀 아나히타(Anahita)에게 태어났다. 미트라의 일생은 예수의 일생과 거의 비슷한 것으로 예수의 설화보다 훨씬 이전에 성립하였다. 미트라신앙의 보급 때문에 초기 기독교가

"저는 기독교의 정신적 지도자들과 많은 교류의 시간을 가져보았습니다만 제 마음 속에서 솔직하게 하고 싶은 이야기는 단 하나였습니다. 신의 해석입니다. 신을 인격적 존재로서 이야기할 것인가? 그렇지 않으면 비인격적 추상적 진리체계로서 이야기할 것인가? 하는 문제에서 모든 것이 갈려지게 되어있습니다. 신을 추상적 진리체계로서 이야기한다면 모든 종교의 대화는 쉬워집니다. 뿐만 아니라 그것은 모든 종교의 이해를 서로에게 풍요롭게 만듭니다. 그런데 기독교는 신에게서 인격적 존재성을 포기하려 하지

않습니다. 신을 추상적인 진리체계로서 이해하는 척 하다가도 결국은 인격적 존재성의 전제로부터 나오는 사유체계로 함몰되어버리고 말아버리기 때문에 더 깊은 대화가 단절되어 버리고 마는 것이지요. 그러면 그들은 내가 건드릴 수 없는 영역으로 건너가 버립니다."

"우리가 지금 종교간의 대화를 문제삼고 있는 것은, 종교가 근원적으로 인간을 해방시키는 것이 아니라, 종교라는 제도 속으로 인간을 구속시키는 데서 오는 갈등이 전제되어 있기 때문입니다. 그리고 이러한 갈등이 전쟁이라는 인간의 참혹한 죄악상으로 발전하곤 하기 때문입니다. 달라이라마께서는 종교를 아편이라고 말하는 자들을 아주 혹독하게 비판하시는 것을 보았는데, 그것은 민족주의적 제국주의의 탐욕을 가장한 마오이스트들의 침략구실일 경우에 한해서 성하의 혐오감은 이해가 갈 수 있습니다. 그러나 저는 근원적으로 종교가 인류의 구원의 유일한 대안이라고 생각하지 않습니다. 인류에게 종교가 있어서 좋은 것인가? 없어도 좋을 것인가? 저는 인류에게 종교가 없을 수 있다면 그 나름대로 파생되는 또 다른 문제가 분명 있겠지만, 최소한 대규모 전쟁과도 같은 상당히 본원적인 문제가 해결될 수도 있다고 생각합니다. 종교를 흔히 고등종교·저등종교로 나누기도 하지만, 인류에게 해악을 끼치는 것은 저등종교가 아닙니다. 저등종교는 샤마니즘과도 같이 토속적인 생활습관과 결부되어 있기 때문에 그렇게 대규모의 죄악을 저지르지 않습니다. 모든 종교의 저등성은 오히려 우리

쉽게 소아시아 지역에 퍼질 수 있었다. 조로아스터교는 이란의 사산왕조(the Sāsānian) 때 국교로서 위세를 떨치다가 무슬림에게 정복당하면서 핍박을 받고 인도로 망명, 뭄바이에 정착하였다(8~10세기). 인도에서 이들은 구자라트말로 "페르시안"을 뜻하는 "파르시스"(Parsis)로 불리었다. 배화교 사람들은 놀라웁게 정직하며, 교육에 힘쓰고, 또 사회복지를 위하여 엄청나게 베푸는 미덕으로 유명하다. 그래서 영국식민통치자와 잘 협조되었고 따라서 인도의 뭄바이 상권을 거의 장악했다. 그러나 영국이 떠나면서 힌두의 주체회복운동에 따라 이들은 쇠락의 길을 걸었다. 현재 5만명 정도가 뭄바이에 살고 있으나 여전히 부유하고 정결한 생활을 하고 있다. 그들의 신전에는 외부인의 접근이 불가능하며 사제는 꺼지지 않는 불을 계속 지피고 있다. 불은 최고의 선신 아후라

가 고등종교라고 부르는 권력화된 제도종교에 내재하는 것입니다.

그런데 지금 아주 솔직하게 얘기하자면, 이 세상에서 가장 힘쎈 종교가 기독교라는 것입니다. 현재 신교·구교를 합한 기독교의 세력이 가장 광범위하고 가장 보편적인 것으로 이 지구상에 분포되어 있는 것입니다. 이 명백한 사실로부터 우리 논의의 망각하기 쉬운 매우 단순한 전제가 도출됩니다. 그것은 무엇일까요? 그것은 바로 종교 그 자체에 대한 정의를 기독교가 독점하고 있다는 사실입니다. 우리가 종교에 대한 어떠한 논의를 해도, '릴리젼'(religion)이라는 말을 쓰는 한에 있어서 그것은 모두 기독교식의 사유 속에서 이루어지는 논의라는 것입니다. 무신론을 말하든 유신론을 말하든, 이 모든 것이 기독교적 사유가 규정하는 신학의 한 갈래로서 이해되고 논의되고 있다는 것입니다. 따라서 저는 종교적 논의 그 자체를 별로 좋아하지 않습니다.

언젠가 성하께서 50억이 넘는 인류를 세 가지 유형으로 나눌 수 있다고 말씀하신 적이 있습니다. 그 첫째는 반신앙인이며 종교를 의식적으로 부정하는 사람들, 둘째는 신앙인이라고 까지는 말할 수 없어도 종교에 대해 무관심하거나 적대심이 없는 사람들, 세 번째는 신앙인이며 수행자며 종교를 통해 삶의 의미를 발견하는 사람들… 그런데 죄송스럽게도 저는 이 세 부류에 다 속하는 요상한 인간입니다. 저는 종교를 아주 부정적으로 볼 때가 많습니다.

마즈다(Ahura Mazdā)의 물리적 현현이며 의로움과 진리를 상징한다. 이들은 시신을 발가벗겨 새들에게 쪼아 멕이는 조장의 풍습으로 유명하다. 그러나 지금은 화장으로 간소하게 치르고 있다. 배화교 사람들은 종족과 종교의 순수성을 지키기 위하여 비배화교 사람들과의 결혼을 엄금한다. 그러나 이런 관습은 지금 깨져 나가고 있으며, 지금은 아버지만 배화교 사람이면 입교가 허락된다. 배화교는 선악의 이원론을 명시하는 모든 종교의 원조이지만, 이들은 선업을 통해 악을 물리치는 매우 정직한 전통을 지키고 있으며, 죽은 물체나, 죽음에 관한 모든 것을 멀리하는 생활습속을 지킨다. 니이체의 그 유명한 저작의 주인공, 짜라투스트라(Zarathustra)가 BC 6세기에 이 종교를 창시한 역사적 인물이며, 그 유명한 지휘자 주빈 메타(Zubin Mehta)도 배화교 인도인이다.

그러다가 어떤 때는 전혀 종교와 무관한 삶을 살고 있습니다. 그런데 또 제 생활을 잘 들여다보면 신앙이 돈독한 수행인들이 구현하고자 하는 삶의 미덕을 어떠한 종교인보다도 더 충실하게 저의 삶 속에서 구현하고 있다는 자각이 있습니다."

이때 달라이라마는 매우 의미심장한 미소를 지었다. 나는 말을 계속 이어나갔다.

"저는 고독한 인간일 뿐입니다. 저는 기존의 어떠한 종교와도 타협하지 않습니다. 저는 지식인이며 수행인입니다. 그러나 저의 수행은 오로지 저 자신이 자각하고 자득한 수행이며 기존의 어떠한 방법에도 예속됨이 없습니다. 이렇게 고독한 한 수행자의 입장에서 제가 불교에 대해서 갖는 바램은 불교를 통해서 구원을 얻고자 하는 것이 아닙니다. 저는 불교라는 종교에 관심이 없습니다. 저의 불교에 대한 모든 믿음은 바로 불교가 인간을 종교로부터 해방시켜줄 수 있으리라는 기대로부터 출발하는 것입니다. 제가 인류의 모든 고전을 탐색하고, 모든 종교의 성전을 이해하려는 뜻은, 바로 경전의 진정한 이해를 통하여 인간이 경전으로부터 자유로워질 수 있다는 신념에 있는 것입니다. 경전의 깊은 이해와 해석은 인간이 경전에 대하여 부과시켜 온 부당한 권위로부터 인간을 해방시키는 데 그 본 뜻이 있는 것입니다."

순간 달라이라마의 얼굴에는 광채가 빛나는 듯했다.

“불교가 인간을 종교로부터 해방시켜준다라는 도올선생의 말씀은 제 가슴을 깊게 후려치는 명언입니다. 저는 모든 사람들이 종교적이어야 한다고 생각하지 않습니다. 인류가 모두 종교적 신앙을 가져야만 더 나은 미래가 보장되리라는 생각도 하지 않습니다. 종교에 대한 도올선생의 부정적 언급이나 저의 긍정적 언급이나 모두 말장난일 뿐 그 근원에 있어서는 상통되는 어떠한 진리를 말하고 있다는 것을 저는 너무도 잘 알고 있기 때문입니다.

앞서 말씀하신 예수의 신비가설에 관한 이야기를 들으면서 생각한 것은 그것이 근원적으로 ‘역사적 예수’에 관한 논의를 무의미하게 만들어버렸다는 데 큰 의의가 있다는 것입니다. '역사적 예수'를 탐색하려는 집요한 노력들이 좀 황당해졌을 것 같다는 생각이 듭니다. 그런데 우리 불교에서는 아무리 그러한 논의가 치밀하게 전개된다 하더라도 우리는 그것을 전적으로 환영할 수 있을 뿐 아니라 불교적 신앙의 체계에 하등의 영향을 주지 않는다는 것을 말씀드릴 수가 있습니다. 그것은 불교의 가장 원초적 출발이 싯달타라는 역사적 개인에게 있는 것이 아니라, 싯달타라는 인간이 구현하려고 했던 진리에 있기 때문입니다. 불교는 근원적으로 불타의 색신보다는 법신을 중요시하는 것입니다. 따라서 색신에 대한 어떠한 논의도 법신의 의미를 경감시키지 않습니다. 법신은 법이며, 법은 곧 진리입니다. 도올선생의 말씀을 들으면서 재미있다고 생각한 것이 있었습니다. 즉 기독교의 예수에 관한 논의가 너무 지나치게 사건중심이라는 것입니다. 다시 말해서 예수를 믿는다고 하는 것이 예수가 동정녀 마리아에게 낳았고 갈릴리 바다를 잠재우고 죽은 자를 살리는 기적을 행하였으며 로마인들에게 죽임을 당하고 또 부활하였다 하는 범상치 않은 사건 때문에 믿는다 하는 것입니다. 그러나 우리 불교에서는 그러한 사건을 말하지 않습니다. 불타가 행한 어떠한 기적적 사건 때문에 불교가 형성된 것은 아닙니다. 그것은 아무래도 좋은 것입니다. 불교가 문제삼는 것은 불타라는 인간이 우리에게 전한 법이며 진리입니다. 이 법이라는 것도 경전에 기록되어 있는 것은 그것 자체로 무오류적이고 고정불변의 절대적인 것이 아니라 우리의 깨달음의 한 계기로서의 방편에 불과한 것입니다. 부처님은 하나의 법이라도 상황에 따라 다양한 표현을 썼습니다. 따라서 불교에서는 기독교와 달리 바이블이라 할 수 있는 경전에 대해 전혀 절대적인 권위를 인정하지 않습니다. 거대한 대장경 그 모두가 우리에게 깨달음을 전달하기 위한 방편에 불과한 것입니다. 그것은 단지 인간들의 깨달음의 기록이며, 깨달음을 유발시키기 위한 계기에 불과한 것입니다."

"바로 그것입니다. 기독교가 유일신관을 포기하지 않는다 할지라도 기독교의 이해 자체를 사건중심에서 법(다르마) 중심으로 그 축을 이동시켜야 한다는 것입니다. 이러한 축의 이동이 없으면 기독교는 앞으로 급속도의 쇠락의 길을 걸어갈 것입니다. 최소한 로마제국의 권력이 날조해낸 리터랄리스트의 사기로부터 벗어나지 않으면 더 이상 생명력을 지탱하기 어렵다는 것입니다. 어떻게 이 과학의 시대에 있어서 동정녀탄생이나 육신부활의 비인과적인 신화적 사태를 사실로서 강요할 수 있단 말입니까? 신화는 신화로서 족한 것이 아닙니까? 이미 서구사회에 있어서 기독교는 점차 생명력을 잃어가고 있으며, 미국에서도 상류층이나 지식인이나 지도층보다는 흑인이나 소외된 보수세력의 지지기반 속에서 그 명맥을 유지하고 있는 것입니다. 그리고 한국과 같은 샤마니즘적 성향이 강렬한 제3세계나 기독교 전통을 새롭게 수용한 신생국가에서 오히려 그 발랄한 생명력을 유지하고 있는 실정입니다.

불교가 그 발상지인 인도에서는 암베드까르박사의 개종운동이 상징하듯이[96] 최하층민인 불가촉천민의 종교인 듯한 인상을 주고 있고, 한국에서도 개화된 상류층의 트레이드 마크가 기독교일 수는 있어도 불교이기는 어렵습니다. 그런데 비하면 재미있는 현상은 미국사회에서는 이러한 이미지가 완전히 역전되어 있다는 사실입니다. 미국사회에서는 오히려 하층부의 사람들은 햄버거나 스테이크를 잔뜩 먹고 뚱뚱하며 기독교의 영성에 사로잡혀 있는 반면, 개명한 상층부의 사람들은 비만형의 인간들이 별로 없고 채식주의자들이 많으며 불교도라는 트레이드 마크를 달고 일본 스시집에를 잘 간다는 것이죠. 아~참! 여기와 보니깐 인도에서는 천민들은 비만형의 사람들이 전무한데, 아름다운 샤리를 걸친 상층부의 사람들은 예외없이 뚱뚱하더군요. 하여튼 불교는 홀쭉한 사람들을 잘 따라 다니는 것 같습니다."

암베드까르의 흉상과
그를 사랑하는
하리잔 아동들.
아우랑가바드의
한 동네에서

## 야크를 탄 세계정신

나의 어조에 담긴 절묘한 새커즘을 달라이라마는 정확히 다 파악하는 듯했다. 그러면서 유쾌하게 깔깔 웃었다. 이런 말을 하며는 좀 언짢게 생각하는 사람도 있겠지만, 미국에 로마교황이 나타나면 도로변에 마중 나온 사람들은 그 대부분이 비대한 흑인들이나 삶에 지친 서민들의 얼굴이다. 그러나 달라이라마가 맨하탄에 한번 나타나면 센트랄 파크의 잔디밭을 메우는 엄숙한 수만의 군중은 75%가 대학원 졸업생들이라고 한다. 현재 미국 불교도의 60%가 박사며 의사며 변호사며 회사고위간부 등, 프로펫셔날들이 차지한다. 미국사회의 인텔리겐챠들은 더 이상 기독교로부터 새로운 문명의 젖줄을 발견하지 못하는 것이다. 물질적 풍요 속에서 정신적 빈곤이 찾아오게 마련이고, 여유로운 정상적 생활의 루틴을 가진 사람일수록 새로운 정신적 문화를 갈망한다. 마돈나가 한번 오프라 윈프리쇼에 나와 우리 삶의 건강을 유지하는 데 요가만 한 것이 없다고 몇 마디 하자마자 미국전역의 슈퍼마켙에 요가테잎이 깔리는 추세인 것이다. 그리고 티벹불교는 비쥬알하게 매우 화려하다. 티벹불교는 미국사회에 매우 강력한 세력으로 번져나가고 있는 것이다. 그 새로운 정신운동의 구심점에 살아있는 각자 달라이라마가 있다. 그 달라이라마가 지금 내 앞에서 깔깔대고 웃고 앉아있는 것이다. 우리의 대화는 매우 이론적이고 진지했지만 그는 나를 아무런 격이 없이 대해주었다. 우리는 서로의 대화에 취해서 점점 친근한 감정 속으로 빨려들어 가고 있었다. 이때 나는 갑자기 재미있는 질문을 던졌다.

"모택동 주석이 서거했을 때 성하께서는 심심의 애도를 표시했다는 데 그것이 사실입니까?"

"어찌되었든 모택동은 중국사람들에게는 주체적인 역사를 회복시켜준 은인이 아니겠습니까? 그리고 서구열강의 침략으로 파멸의 위기에 간 중국을 공산운동을 통해 다시 근대국가로 변모시킨 장본인임에는 틀림이 없습니다. 세계사적 위인임에는 틀림이 없지요."

"성하의 자서전에 보면 그래도 모택동에 대한 인상은 그리 나쁜 것 같지는 않게 그려져 있습니다. 그러나 주은래는 매우 좋지 않은 사람이라는 인상을 줍니다."

"모택동이나 주은래나 우리 티벧인의 입장에서 본다면 보다 나은 세계를 위하여 헌신하는 맑스주의자들이 아니었으며 철저한 국가주의자들이었을 뿐이었습니다. 그들은 공산주의를 가장한 쇼비니스트들이며, 탐욕스러운 제국주의자들이며, 편협한 광신자들이었습니다. 어떻게 서구열강의 제국주의의 마수로부터 벗어나기 위해 그렇게 고난의 장정(長征)의 투쟁을 거친 사람들이, 어떻게 자기들의 꿈이었고 이상이었던 공화국을 세우자마자 갑자기 서구열강의 제국주의보다 더 악랄한 제국주의자들로 표변할 수 있단 말입니까? 모택동은 사람이 좀 무뚝뚝하고 우직하지만 진실한 느낌을 줍니다. 그러나 주은래는 '츄우 앤 라이'(Chew and Lie)라는 별명대로, 항상 생글생글 웃고 친철하지만 차갑고 교활합니다. 그러나 어떻게 두 사람 사이에 우열을 논할 수 있겠습니까? 둘 다 인간세에 참혹한 결과를 초래한 탐욕의 화신들일 뿐이지요."

"그런데 왜 애도를 표시하셨습니까?"

"제가 어찌 이 자리에서 가장된 감정의 위선을 이야기할 수 있겠습니까? 제가 중국지도부의 만행으로부터 얻은 심적 고통을 어찌 다 여기 말할 수 있겠습니까? 그리고 저는 매우 적나라한 현실속에서 일개의 약자에 불과했습니다. 그 약자가 할 수 있는 적나라한 결론은 그저 참는 것밖에는 없었습니다. 살아남아야 하니까요. 제가 아무리 불교의 가르침을 잘 배웠다 해도, 저는 포탈라궁속의 관념에 갇힌 제식의 상징에 불과했습니다. 그리고 저를 둘러

중국인민해방군에 의하여 파괴된 유서깊은 간덴사원(dGa' Idan)의 폐허. 간덴사원은 쫑카파가 그의 제자 달마린첸과 함께 1409년에 창건한 겔룩파의 가장 권위있는 성전이었다. 『유배된 자유』에서.

싸고 있었던 티벨의 고위관료들은 무능했고 무책임했고 세상사에 어두웠습니다. 대승불교의 실천덕목으로서 6바라밀이라는 것이 있지 않습니까? 그 중 하나가 인욕이 아닙니까? 이 인욕의 이야기가 수없이 본생담에 나오고 있지만 그것은 어디까지나 설화였습니다. 어찌 제가 인생 속에서 양팔이 잘리고 양다리가 싹둑 베어지고 코가 베어지는 그러한 끄샨띠바딘 리쉬의 인욕을 실천할 수 있는 기회를 얻을 수 있었겠습니까?[97] 중국의 지도부는 저에게 진정한 인욕이 무엇인가 하는 것을 저에게 참혹하게 가르쳐주었습니다. 저는 그들의 핍박을 통하여 부처님의 가르침을 진정으로 깨달을 수가 있었고 오늘의 평온한 모습으로 성장할 수 있었습니다. 그러니까 저는 모택동에게 감사할 수밖에 없겠지요. 오늘의 적이 영원히 적일 수만은 없는 것입니다. 그리고 나에게 무서운 적이라 할지라도 그 적으로 인해 나에게서 생겨나는 선을 더 귀하게 생각할 줄 알아야하는 것입니다. 이것은 이론이 아니라 나의 삶의 고귀한 체험입니다. 그리고 이것은 오른뺨을 치며는 왼뺨도 돌려대고, 속옷을 가지고자 하는 자에게 겉옷까지 가지게 하라는 아가페적인 신의 사랑의 실천이 아닙니다. 그것은 제행무상이나 제법무아라고 하는 부처님의 말씀을 이성적으로 잘 생각해보면 솟구치는 그러한 힘이지요. 내가 참으로 분노를 느끼는 순간, 고통과 굴욕과 진노의 불길에 내가 휩싸여 있는 그러한 순간에는 적은 적으로만 보이고, 그것은 절대적인 적이며 영원히 용서될 수 없는 그러한 실체로서 나에게 나타납니다. 그러나 항상 이러한 탐 · 진 · 치의 감정은 오래 지속될 수가 없습니다. 진노의 불길 속에서만 인간은 살 수가 없습니다. 이것은 생리적으로 그렇게 되어 있는 것입니다. 아무리 진노가 강렬하다 할지라도 어느 순간에는 진노가 가라앉은 고요한 마음의 평화나 용서를 베푸는 그러한 감정의 전환상태가 생겨나는 것입니다. 많은 사람들은 이러한 전환상태를 귀하게 키우려고 하지 않고 다시 진노의 불길 속으로 자신을 채찍질해 들어가는 불행한 자멸의 길을 택하고 마는 것입니다. 고요한 마음의 평화가 찾아오게 되면 적은 더 이상 적이 아니라는 것을 깨닫게 되고, 모든 것은 항구불변의 실체를 갖는 것이 아니라는 것을 깨닫게 됩니다. 이것이 곧 부처님이 말씀하시는 무아(無我)지요. 그렇게 되면 오늘의 적이 내일의 친구가 될 수도 있고, 오늘의 친구가 내일의 적이 될 수도 있는 것입니다. 이것이 바로 제행이 무상하다는 부처님의 가르침입니다. 나는 이러한 것들을, 어려서부터 그토록 암송만 하고 살았던 이러한 진리를 우리 티벹민족이 당면했던 극도의 불안과 초조와 공포와 진노 속에서 깨달을 수 있었던 것입니다. 이러한 것을 나는 이성의 힘이라고 부르고 있는 것입니다."

달라이라마는 솔직히 말해서 나보다 영어가 좀 딸리는 편이었다. 그러나 그의 영어는 매우 듣기가 편했고 아름다웠다. 그리고 단어선택이 정확했고 문법적으로도 정확했고 간결했다. 그런데 이 대목에 와서는 심한 제스츄어를 쓰면서 아주 열심히 공들이면서 표현을 했다. 그야말로 자신의 인생의 고귀한 체험을 나에게 전달해주려는 애틋함이 있었다. 나는 조선에서 온 한 무명의 인간이다. 그런데 그러한 한 무명의 인간을 앞에 놓고 온갖 정성을 쏟는 그의 진실된 모습은 정말 나를 감동시켰다. 130만의 티벧인민의 처참한 학살의 현장을 눈에 그리면서 나는 그의 말의 진실성과 깊이를 되새겨보곤 했다. 그가 말하는 인욕의 의미는 엄청난 고통의 심연에서 우러나온 말임이 분명했다. 그런 말을 할 때에는 그의 눈가에는 매우 비극적인 기운이 서렸지만 정말 쾌활하기 그지없는 얼굴이었고 나의 고향집 툇마루 앞에 활짝 피는 백목련의 모습보다 더 화창한 모습이었다. 그러면서 그는 매우 의미심장한 말로 마감을 했다.

"제가 이런 말을 한다고 해서 모든 것이 사랑과 용서와 화해와 자비로움 속에서 끝난다는 것은 아닙니다. 인욕(kṣānti)이라고 하는 것은 불의에 대한 복종이나 굴복을 의미하지 않습니다. 모택동이 지은 업은 기나긴 시간을 통해서 반드시 그에게로 돌아갑니다. 그리고 모택동을 빌미로 중국민족이 우리 티벧민족에게 저지른 악업도 반드시 그 대가를 치르게 될 것입니다. 이것이 곧 시간성이 결여된 아가페 이론과 불교의 이성적 이론이 다른 점입니다."

이 부분에서 그의 말씨는 매우 무거웠고 매우 또박또박했다. 나는 짓궂게 또다시 물었다.

"모택동에게 또 감사할 것이 없습니까?"

"왜 없겠습니까? 너무 많지요!"

하면서 그는 호탕한 웃음을 지었다. 나도 그의 호탕한 웃음을 따라 같이 웃을 수밖에 없었다.

"무엇보다도 그는 우리를 떠돌이 신세로 만들었기 때문에 전 인류에게 불법이 전파되는 계기를 만들었습니다. 그리고 우리 티벧 사람들에게 한없는 고통을 주었을지언정, 그는 우리 티벧인민들이 정신적으로 성숙해지는 데 많은 도움을 주었습니다. 그리고 이제 우리는 과거의 고립상태에서 벗어나 세계사의 흐름에 참여하는 삶을 살게 되었습니다. 한마디로 광막한 고원의 적막 속에 갇혀있다가 바깥세상을 배우게 된 것이지요."

"지금 말씀하신 포인트는 매우 중요하다고 생각됩니다. 헤겔은 그의 역사철학을 논하면서 보편사(Universal History)를 지배하는 이성의 간계(*List der Vernunft*, Cunning of Reason)라는 표현을 썼습니다. 헤겔은 인간의 역사를 절대정신의 자기실현과정으로 간주하기 때문에, 절대정신은 자신의 목적을 달성하기 위하여 세계사적 개인(World-historical Individual)을 수단화한다는 것입니다. 세계사적 개인은 물론 자기가 자유의지를 가지고 있다고 생각하고 있지만, 그것은 절대정신의 간교한 계산에 의하여 움직이고 있다는 것을 자각하지 못하는 착각일 뿐이라는 것입니다. 다시 말해서 세계사적 개인의 자유의지적인 목적과 절대이성의 목적은 전혀 다를 수 있다는 것이지요. 그러나 거시적으로 보면 세계사적 개인의 자유의지적 목적은 절대이성의 목적을 실현하기 위한 수단에 불과하다는 것입니다. 모택동은 중국이라는 국가주의의 야욕을 채우기 위해 티벹이라는 자주민족의 한 국가를 말살시키는 악업을 지었을지 모르지만, 세계정신은 바로 그러한 악업을, 티벹 역사에 함장되어 있는 보편적 가치를 인류에게 드러내기 위한 보편사적 목적의 수단으로 활용하였다는 것입니다.

헤겔은 독일사람임에도 불구하고 예나에 입성하는 나폴레옹을 보고 '저기! 말탄 세계정신이 간다!' 하고 감격의 눈물을 흘렸습니다. 그리고 1814년 4월 나폴레옹이 실각하고 엘바섬으로 귀양갈 때 매우 슬퍼했습니다. 위대한 세계사적 천재의 스펙타클이 범용에 의하여 파괴되는 비극이라고 개탄해하였던 것입니다.[98]

제가 지금, 여기 달라이라마 당신을 놓고 '야크를 탄 세계정신이 여기에 간다!' 라고 외친다면 불경이겠습니까?"

"도올선생님은 말씀을 참 재미나게 하시는군요. 나는 도올선생처럼 그렇게 깊게 서양철학공부를 해보지 못했기 때문에 잘 모르겠습니다만, 역사를 그렇게 조작적으로 보는 것은 옳지 못합니다. 헤겔의 말은 결과적으로는 일리가 있습니다. 그러나 우리 불교도들은 인류의 역사가 어떤 거대한 초월적 실체에 의하여 계획된 대로 움직여간다는 거시적 사관을 거부합니다. 즉 그러한 섭리적 사관은 무아론에 위배될 뿐만 아니라, 또 다시 제국주의적 탐욕을 정당화시킬 수 있는 이론으로 악용될 수 있는 무한한 소지를 가지고 있습니다. 나는 모택동에게 고통을 받았고 그 고통으로 인해 오히려 인류에게 보탬이 되는 일을 할 수 있었다, 이러한 소박한 명제 이상의 의미부여는 좀 위험합니다."

"깨우치는 바가 큽니다. 그러나 헤겔의 언급과 관련하여 매우 중요한 하나의 이야기를 상기시킬 필요가 있습니다. 불교는 본시 인도의 종교입니다. 현재 불교는 인도 자체에서는 괄목할 만한 족적을 남기고 있지 않지만, 대승불교 · 밀교를 포함해서 모든 불교의 원형은 분명히 인도문명에서 잉태되고 장육되었습니다. 그런데 불교가 잉태되고 성장한 이 인도라는 토양은, 드라비다족으로 추정되는 원주민의 문명을 잠시 도외시하고 이야기하자면, 인도-유러피안어군에 속하는 산스크리트어를 조형으로 하는 인도-아리안어족의 문명이었습니다. 그런데 우리 여태까지 논의한 초월적 종교의 모든 원형은 함족 · 셈족어군(Hamito-Semitic languages)의 문명 속에서 태어난 것입니다.[99] 결국 유대교 · 기독교 · 이슬람교가 모두 하나의 언어풍토의 동일한 신의 계보에서 태어난 것입니다. 그런데 재미있는 사실은 인도문명은 이러한 초월종교의 신화적 토양과 일찍부터 교류가 된 공통의 문명권이라는 것입니다. 예를 들면 황하문명과는 전혀 어족을 달리 하는 문명이며 그것은 중국사람들이 항상 '서역'(西域)이니 '서방'(西方)이니 '천축'(天竺)이니 하는 말로 표현했지만 그것은 동아시아문명권보다는 훨씬 더 우리가 지금 서양이라고 부르는 복합문명체에 친화력을 지니는 문명인 것입니다.

그런데 싯달타라는 기적적인 역사적 개인은 그러한 토양의 공통분모를 완전히 벗어나는 새로운 발상을 한 사람입니다. 도저히 그러한 공통의 문명기저(인도·유러피안어족+하미토·세미틱어족)의 어떠한 종교적 언어로도 인수분해될 수 없는 어떤 새로운 패러다임을 구축했던 것입니다. 저는 이 패러다임의 형성은 아리안 이전의 토착문화(pre-Aryan indigenous culture)와 관련이 있다고 생각합니다.[100] 그러나 이 패러다임은 결코 쉽게 이해될 수가 없었습니다. 그것은 종교가 아닌 종교였으며, 구원이 아닌 구원이었으며, 복음이 아닌 복음이었으며, 신이 아닌 신이었습니다. 따라서 이 패러다임은 기나긴 역사의 시간을 요구하는, 너무도 인류의 이성의 발전단계를 일찍 뛰어넘은 대사건이었습니다. 그래서 인도에서는 도저히 이 불교를 수용할 길이 없었습니다. 아쇼카왕의 그러한 대규모의 노력도 결코 불교를 인도라는 토양에 정착시키기에는 역부족이었습니다. 거기에는 물론 카스트라고 하는 거대한 장애물이 있었지만 이것은 카스트만의

룸비니에 있는 아쇼카 석주에 새긴 명문. 지금도 명료하게 읽을 수 있다. 그 내용은 다음과 같다. "신에게 사랑을 받는 우리의 왕 피야다쉬(Piyadashi, 아쇼카왕의 다른 이름)는 대관 20년 되던 해에 이곳을 직접 순행하시었다. 붓다 샤캬무니는 이곳에서 태어났다. 태어난 성지에 돌로 난간을 만들고 석주를 세운다. 세존께서 이곳에 태어나셨으므로 룸비니 마을에는 세제감면의 혜택을 부여한다. 보통의 1/8만 징수한다." 이로써 아쇼카 석주가 마우리아왕조의 사회경제사적 기반과 관련되어 있음을 알 수 있다.

문제가 아닌 정치 · 사회 · 경제 · 문화의 모든 방면에 있어서 혁명을 요구하는 너무도 거대한 과제상황이었던 것입니다.

이 불교가 세계문명의 윤회바퀴 속에서 거대한 도전을 시도한 것이 중국문명과의 해후였습니다. 이 불교와 중국문명의 해후는 참으로 인류사에 유례를 보기 힘든 양대 독립문명간의 대규모적 융합이었고, 그 융합은 신유학이라고 하는 새로운 사조 등 그 나름대로 엄청난 복합화합물들을 창조했지만, 중국문명이 서구문명 앞에 무릎을 꿇으면서 그 나름대로의 유기체적 사명을 종료했던 것입니다. 즉 중국불교는 정확하게 대승불교라고 하기보다는 그 나름대로의 독자적 생명과 성격을 가지는 중국불교일 뿐이며, 그 중국불교는 이미 명 · 청시대를 거치면서 쇠락했습니다. 다시 말해서 중국문명 속에서의 불교는 당(唐)대의 극성기를 지나 꾸준히 쇠락의 일로를 걸으면서 그 나름대로의 유기체적 시간을 종료한 것입니다. 이 중국불교의 대표적인 두 적자가 한국불교와 일본불교입니다. 그러나 여기 한국불교의 특수성은 제가 얘기를 보류하겠습니다만, 일본불교의 경우 진정하게 살아있는 수행과 신앙의 터전으로서의 불교는 존재하지 않습니다. 일본의 불교는 어디까지나 신토이즘(Shintōism, 神道)이라고 하는 영원히 떼어 버릴 수 없는 자체 샤마니즘의 토양 위에서만 배접된 것이며, 그나마 에도시대를 거치면서 반기독교정책으로 인하여 모든 테라(절)는 일종의 관청같은 것으로 변모하여 버렸습니다. 일본의 현실적 불교는 일종의 형해화된 대처승들의 제식일 뿐입니다.

그러나 일본불교의 위대성은 학문적으로 불교가 세계화될 수 있는 엄청난 토양을 창조했다는 데 있습니다. 일본불교의 가치는 종교적 실천에 있다기 보다는 탁월한 학문적 업적에 있습니다. 세계불교의 연구는 모두 일본학자들의 업적에 신세지고 있는 형편입니다. 그렇다면 진정한 수행불교로서의 오리지날한 불교의 면목을 보유하고 있는 문명은 현재, 한국 · 미얀마 · 스리랑카 · 티벹 정도를 꼽을 수밖에 없습니다. 한국의 절은 북전불교로서는 민중의 신앙 속에서 살아있는 유일한 수행의 도량이라고 말할 수 있습니다.

그런데 이 네 나라, 한국 · 미얀마 · 스리랑카 · 티벹을 살펴보면 하나같이 약소국이며, 세계사의 주류를 리드하고 있지는 못한 주변문명이라는 사실에 우리는 눈을 뜨게 되는 것입니다.

저는 최근에 불교의 최고경전이라 할 수 있는 『팔리어삼장』(*Pali Tipiṭaka*)에 눈을 뜨게 되었습니다. 아시다시피 이것은 아쇼카왕의 파탈리푸트라 제3결집 경에는 대강의 모습이 형성된 것이고 그것이 스리랑카에 전해져서 문자로 기록된 것은 대강 기원전후로 보는 것입니다. 그리고 그것이 인류사회에 본격적으로 드러난 것은 19세기 후반 이 지역으로의 대영제국의 진출에 따른 제국학자들의 노력에 의한 것이었습니다. 파우스뵐(V. Fausböll)이 학술적 원전으로서의 『법구경』을 출판한 것이 1855년의 일이었고, 리즈 데이비즈(T. W. Rhys Davids)가 런던에 팔리성전협회(Pali Text

Society)를 설립한 것이 1881년의 일이었습니다. 그리고 일본학자들이 이미 1930년대에 이 팔리어삼장을 『남전대장경』이라는 이름으로 완역하여 출간하였습니다. 70책의 방대한 분량이지요. 저는 최근 이 일역 팔리어삼장을 구입하여 미친듯이 읽어보았습니다. 제가 여태까지 한역대장경에만 의존하여 이해하던 불교의 모습과는 너무도 다른 생생한 원시불교의 숨결을 느낄 수 있었습니다. 저는 팔리어삼장을 읽으면서 2천여 년 동안 인간의 때가 묻지 않은 채 어느 심원한 고적 속에서 숨쉬고 있던 찬란한 보석을 들여다보고 있는 느낌이었습니다. 다시 말해서 불교의 총체적 모습이 본격적으로 인류에게 드러나기 시작한 것은 19세기 말기부터이며, 그것은 팔레스타인에서 탄생한 기독교가 2·3세기의 초대교회운동을 거쳐 313년 로마에서 공인을 받은 것에 비유한다면, 불교의 경우, 그러한 초대교회운동이 실제로 2500여 년을 소요했다는 것을 의미하는 것입니다. 기독교는 아시아대륙에서 태어나 천하의 모든 길이 로마로 통한다고 했던 그 세계사의 주류로 일찍 접목이 되었기 때문에 오늘날 같은 두 밀레니엄의 위용을 지닐 수 있었습니다. 이제 불교가 서방세계에 접목되어 세계사의 주류에 접목이 되기 시작한다면 그 두 밀레니엄의 바톤을 이어받기 시작했다는 것을 의미합니다. 팔레스타인의 약소민족의 약소그룹의 기독교운동이 이방인의 사도, 사도바울에 의하여 먼저 소아시아·아테네에 걸치는 헬레니즘세계에 전파되었고 그 여력을 휘몰아 드디어 로마로 접목되었다고 한다면, 오늘날 한국·미얀마·스리랑카·티벳과 같은 약소국가에서 그 원시적 생명력을 유지하고 있는 불교가 미국이라는 세계사의 주류의 정신적 토양을 일궈내기 시작한다면 인류사의 새로운 미래가 열릴 수도 있는 것이라고 저는 생각합니다. 더구나 미국은 잉글란드의 적자로서 태어난 뉴잉글란드로부터 시작된 신생문명이며, 그 문명의 정신적 기저를 퓨리타니즘으로부터 출발시켰지만, 이미 나다니엘 호돈(Nathaniel Hawthorne, 1804~64)이 그리고 있는 그러한 퓨리타니즘의 정신은 거의 소멸되었으며, 그 정신적 공백을 20세기 프래그머티즘과 같은 사조가 충족을 시키지 못하고 있는 상태입니다. 예를 들면 미국이 불교이념을 바르게 소화해낸다면 인류문명의 새로운 정신적 리더십을 창출할 수도 있는 것입니다. 마치 로마가 자신들의 토속적 신앙형태를 버리고 이방인의 기독교를 받아들임으로써

달라이라마의 고향 암도는 수제비 음식으로 유명하다. 수제비를 만들고 있는 티벧사람들. 룸비니 티벧사원에 모여 법회중인 승려들(다음 페이지).

새로운 문명을 구축했던 것과도 같은, 어떠한 새로운 세계사의 획기적 전환의 계기가 마련될 수도 있다는 것입니다. 이러한 대전환의 모우먼트에 모택동이 티벹의 승려들을 전세계를 향해 내몰았다고 하는 사건은 단순히 우연적인 계기로만 해석되기에는 너무도 거대한 인류사의 아이러니가 매달려있다는 것입니다. 그러므로 제가 달라이라마 당신을 야크 위의 세계정신이라고 말한 그 표현이 어찌 지나치는 죠크에 지나지 않는 것이겠습니까? 세계 정신사의 거시적 관점에서 본 하나의 필연적 길목에 성하와 티벹인민들의 고난이 자리잡고 있다는 것입니다. 그리고 그만큼의 무거운 책임감이 성하와 성하의 고난을 같이 해야 할 인류의 지성에게 있다는 것입니다."

# 불교는 과학이다

달라이라마는 내 말을 고개를 끄덕이며 차분하게 들어주었다. 그리곤 다음과 같은 질문을 나에게 던졌다.

"서양인들에게 불교가 아필하는 이유가 뭐라고 생각하십니까?"

나는 사실 달라이라마가 왜 나에게 이런 질문을 던지는지 잘 알 수가 없었다. 왜냐하면 그는 누구보다도 몸소 그런 방면에 있어서 체험적인 정보를 충분히 습득하고 있는 사람일 것이기 때문이다. 보통, 사람들은 서구인의 정신적 위기, 물질적 풍요 속에 정신적 빈곤 등등의 클리쉐를 되씹을 것이다. 그러나 나의 생각은 달랐다.

"우선 제가 충분한 말씀을 드리지 못한 것 같습니다만 저는 사실 서양인들에게 불교가 아필된다, 이런 말을 근본적으로 하기가 싫습니다. 지금 동양과 서양, 이런 구분은 더 이상 유효하지 않습니다. 그러니까 동양에서 일어난 불교가 서양에 전파된다, 이런 말도 매우 진부한 말입니다. 이미 우리가 살고 있는 세계는 동·서양의 구분근거가 무색할 정도로 정보가 교류되고 공간의 국소적 개념이 사라지고 있는 형편입니다. 다시 말해서 제가 앞서 말씀드린 불교의 세계사의 주류문명에로의 접목이라는 사건은 공간적인 이동이라기 보다는 인류사 전체의 시각적 이동을 두고 한 말입니다. 다시 말해서 동에서 서로의 이동을 말하는 것이 아니라 과거 2천여 년의 인류사의 주축이 21세기를 접어들면서 새로운

생전에 달라이라마님과
눈 한번 스치기 위해
간절한 마음으로
두손 모아 기다리는
티벧의 군중

주축을 찾아 이동하고 있다는 것입니다. 물론 인류사는 여러 문명의 흥기와 소멸에 의하여 이어져 내려왔지만 뭐니뭐니 해도 인류사의 주축문명의 흐름을 장악한 것은 그레코-로망을 중심으로 한 기독교 문명이었습니다. 그런데 우리가 이 그레코-로망을 중심으로 한 계몽주의(Enlightenment) 전통이외로도, 가치있고 또 화려한 많은 고문명이 존재함에도 불구하고 우리가 유독 그레코-로망-르네쌍스-계몽주의의 전통을 인류사의 주축으로 간주하는 이유는 매우 단순한 것입니다. 그것이 바로 '과학'이라고 하는 인류의 물질환경을 지배하는 강력한 연역적 사고(deductive thinking)를 제시했기 때문입니다. 그리고 이 과학 전통을 선취한 문명은 모두 20세기 제국주의의 선두에 섰습니다. 그런데 재미있게도 이 과학이라는 놈은 기독교 전통의 유일신관을 전제로 해서 태어난 변종이라는 것이죠. 기독교는 이 우주에 대하여 초월적 창조주를 전제로 하고 있습니다. 그런데 하나님이 이 세계를 창조했다는 실제적 의미는 이 세계의 입법자로서 역할을 했다는 뜻과 상통합니다. 즉 신은 이 우주의 운행의 법칙체계를 입법했다는 것입니다. 따라서 르네쌍스의 과학자들은 이 우주에 대한 신의 입법체계를 알아내려고 노력했습니다. 즉 자연의 법칙을 알아내려는 과학의 노력은 애초에는 유신론적 입법체계와 결부되어 있었던 것이었습니다.[101] 그것이 르네쌍스의 과학이라고 하는 위대한 근대문명의 단초를 형성했던 것입니다. 불교의 다르마(Dharma)는 기독교적 신의 법칙체계(divine legislature)보다 훨씬 더 내재적이고 과학적인 것이었음에도 불구하고, 너무 지나치게 윤리적 목적의 지배를 받았고, 또 결정적인 것은 희랍인들의 수학과도 같은 정교한 토톨로지의 연역적 언어를 그 바탕으로 확보하지 못했다는 것입니다.

그런데 과학의 운명은 점점 유신론적 체계로부터 독립해나가기 시작했습니다. 과학의 법칙의 발견은 최초의 작동자로서의 신이나 입법자로서의 신의 전제가 없이 우주 자체의 인과법칙에 따라 이루어지기 시작했고 따라서 과학은 근원적으로 신의 존재를 요구하지 않는 합리성의 체계로서 자기를 인식하기 시작했습니다. 근세과학은 인류에게 무신론과 상식에 대한 무한한 신념을 가르치기 시작했고 근대인(Modern Man)의 이성(Reason)은 초월적인 창조주에로의 복속을 거부하게 되었습니다. 즉 과학이라는 기독교의 사생아는 더 이상 기독교라는 아버지와의 핏줄을 유지할 필요가 없게 되어버린 것입니다. 그 자신이 독자적인 삶을 개척하기 시작한 것입니다. 바로 제가 말씀드리는 인류정신사의 패러다임 쉬프트는 이 과학의 자기이해의 패러다임 쉬프트와 보조를 맞추는 사건이라는 것이며, 기독교로부터 불교에로의 세계사적 전환은 바로 이러한 과학의 보편화가 인류에게 공헌해온 정신적 토양을 전제로 해서 이루어지는 사건일 뿐이라는 것입니다. 다시 말해서 싯달타의 정신혁명은 2500년 후에나 세계 기독교가 성취해놓은 과학문명의 새로운 정신적 토대를 계기로 겨우 드러나게 된 것이라는 것입니다. 이러한 계기의 성격을 우리 동양사람들보다는 서양사람들이 보다 민감하게 감지하고 있다고 하는 현상이, 곧 요즈음 미국이나 유럽에서 식자들에게 불교가 아필되고 있는 현상의 진면목이라고 저는 말씀드리고 싶습니다."

"도올선생님의 통찰은 정말 제가 가슴으로 하고 싶었던 얘기입니다. 정말 탁월합니다. 바로 그것입니다!"

달라이라마는 정말 어린애처럼 나의 말을 좋아했다. 그리고 나에게 강력한 정신적 유대감을 표시해주었다. 나는 물었다.

"불교는 무신론(atheism)이라는 저의 말에 동의하십니까?"

"물론이지요! 유신론의 전제는 반드시 이 세계에 대하여 이 세계 밖에 있는 창조주를 설정하지 않으면 안됩니다. 그리고 인간의 구원도 인간 밖에 구세주(Savior)를 설정하지 않으면 안됩니다. 그러나 불교는 창조주를 인정하지 않으며 구세주를 인정하지 않습니다. 그리고 인간과 우주 밖에 있는 초월적 존재자로서의 신의 개념 그 자체를 인정하지 않습니다. 그런 맥락에서는 불교는 분명한 무신론입니다."

"바로 그것입니다! 진정한 과학의 힘을 믿는 모든 상식인들은 그 상식의 논리에 철저하기만 한다면 모두 무신론자(atheist)가 될 수밖에 없습니다. 서양의 종교인들은 무신론하면 아주 나쁜 말인 것처럼 생각하지만 무신론은 모든 진정한 합리성의 기초이며 근대적 삶의 기본요건입니다. 무신론자가 되지 않으면 진정한 의미에서 근대인의 자격이 없습니다. 그런데 무신론자들에게는 무신론의 종교가 필요한 것입니다. 무신론 그 자체가 하나의 심오한 신론이라는 것을 우리는 너무도 망각하고 있습니다. 불교는, 과학이라는 인과세계의 신념을 받아들이는 사람들에게 영성(spirituality)을 부여할 수 있는 유일한 종교이기 때문에 저는 21세기 인류사의 정신적 패러다임 쉬프트가 불교를 통하여 이루어질 수밖에 없다는 것을 말씀드렸던 것입니다."

"그렇습니다."

달라이라마는 "댓스 라이트"(That's right.)라는 말에 환희에 가까운 액센트를 주면서 나의 말에 공감을 표시하였다. 그러면서 다음과 같이 보충설명을 했다.

"불교는 창조주도 구세주도 초월자도 인정하지 않습니다. 그러나 명상(meditation)이라고 하는 종교적 수행방법을 제시하며, 고통으로부터의 해탈이라고 하는 구원(salvation)의 윤리를 제시하며, 내세(next life)라고 하는 윤회의 이론을 제시합니다. 불교는 신이 없이도 인간에게 무한한 영성(spirituality)을 주는 것입니다. 그러기 때문에 불교는 엄연한 종교입니다. 다시 말해서 종교의 성립요건에 유신론이 필요충분조건은 아닌 것입니다."

"그런데 여기서 우리는 조심하지 않으면 아니 될 중요한 문제를 발견합니다. 서양인들이 불교에 귀의한다고 해서 불교라는 종교적 제도(institutional religion)에 귀속되는 것은 아니라는 것입니다. 예를 들면 그들은 카톨릭이나 프로테스탄티즘의 신앙을 유지하면서도 단지 영성(spirituality)의 개발이나 제고를 위하여 불교를 수용할 수가 있습니다. 불교가 무신론이고 또 서양적 의미에서 종교가 아닌 이상, 종교적 교리에 대한 깊은 생각이 없이도 명상이나 마음의 수련을 위해 불교를 활용할 수도 있다는 것입니다."

"물론입니다. 이것은 우리가 앞서 에반젤리즘의 논의 속에서 이미 충분히 토론한 것이지만, 불교는 결코 자신의 특별한 제도를 타인이나 타문화에 강요하는 일을 하지 않습니다. 그것은 수용자 자신의 풍토나 습관이나 성향이나 기질에 맞추어 변용될 수밖에 없는 것입니다. 불교는 티벹에서는 티벹불교가 되었고, 중국에서는 중국불교가 되었고, 일본에서는 일본불교가 되었고, 한국에서는 한국불교가 되었습니다. 로마교황청과도 같은 중앙통제력은 어느 곳에도 존재하지 않습니다. 심지어 성경까지도 자유롭게 변용되는 것이 허용되었습니다. 저는 티벧불교를 세계에 전파하려는 어리석은 생각이 없습니다. 미국에 가면 그것은 미국인들의 기질과 습관과 실제적 요구에 따라 새로운 방식으로 적응될 수밖에 없습니다. 그리고 특히 제식적인 측면에서 일양적인 기준을 고집할 하등의 이유가 없습니다. 저는 미국인들 자신의 판단에 의한 새로운 승가의 발전을 장려하는 사람입니다. 그러나 불교의 핵심적 교리는, 아무리 우리가 해석의 자유를 허용한다 할지라도, 결코 훼손될 수가 없는 것입니다. 그러기 때문에 그것은 다르마며 진리입니다. 그리고 일단 불교에 심취한 사람은 아무리 그가 타신앙체계를 보지한 사람이라 할지라도 자연스럽게 자신의 정합적인 믿음체계(integral system)를 구축해 나가리라고 믿습니다."

소치는 아이.
인도의 매력은
바로 우리주변에서
사라져 버린 이런
광경의 정취 때문이다.
영원히 사라지지
않기를 빈다.
제백석의 그림과도
같은 한 폭

# 지혜와 지식

달라이라마의 논리는 매우 명료했다. 나는 이어 인간의 지식에 관한 또 하나의 주제를 끄집어 냈다.

"또 하나의 문제는, 불교가 과학적 세계관이나 과학적 가치와 접목됨으로써 앞으로 닥쳐올 인류의 미래를 리드해야 할 사명을 가지고 있다고 한다면, 불교는 과학에 대해서 보다 열린 마음을 가져야 할 뿐 아니라 과학적 사유의 본령 속으로 깊게 진입할 필요가 있습니다. 그런데 동 · 서양을 막론하고 대체적으로 종교적 지도자들이 너무 무식합니다. 원래 과학이라는 말은 스키엔티아(*scientia*)라는 라틴어에서 온 표현인데, 그것은 지식이라는 의미입니다. 인간과 인간을 둘러싸고 있는 모든 세계에 관한 지식입니다. 이 지식의 원래적 의미는 앞서 말씀드린 그노시스(Gnosis), 즉 영지(靈知)였습니다. 이 그노시스의 개발이라는 목표 아래서 알케미(alchemy)라는 연금술이 나오고, 르네쌍스과학의 중세적 기초가 마련되었던 것입니다. 그런데 대부분의 승려들이 너무 지식과 지혜에 대한 이분법적 사유에 매달려 있으며 지식인들이 가지고 있는 지혜를 무시하려는 고압적 자세로 과학적 대중을 지도하려는 착각증세에 함몰되어 있습니다. 티벹의 승려들은 그렇지 않으리라고 확신합니다만, 대부분의 승려들에게서 받는 우리의 인상은 그들의 지식에 대한 천시가 자신의 무지를 정당화시키는 어리석은 업을 지을 뿐 아니라, 과학적 세기를 리드할 수 있는 역량을 잃어버리고 있다는 것입니다."

"너무도 지당한 말씀입니다. 저는 감정과 본능에 치우친 신앙심과 자비심은 오래갈 수 없다는 것을 누누이 역설해왔습니다. 궁극적으로 감정과 이성은 인간에게 분리될 수 없는 하나의 의식체계의 소산이며, 영적 수행에 지성의 역할은 너무도 중요한 것입니다. 그리고 물론 지혜와 지식도 이분되어서는 아니 되는 것입니다."

"지식이나 이성은, 지혜나 감성을 위하여 무한히 허용될 수 있는 것입니까?"

"물론이지요! 왜냐하면 지혜를 증가시키지 않는 지식은 결코 지식이라 부를 수 없는 것이기 때문입니다."

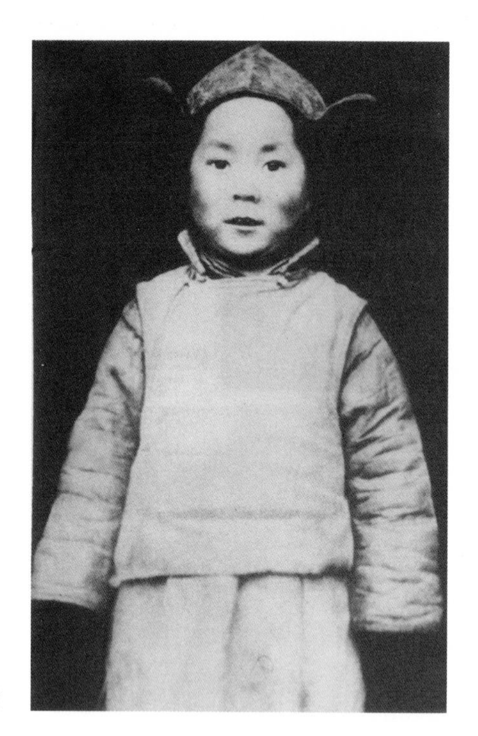

유년시절의
달라이라마
『유배된 자유』에서

나는 이때 정말 달라이라마님께 엎드려 절하고 싶은 생각이 저절로 솟구쳤다. 진(眞)·속(俗)의 이분을 거부하고 불립문자(不立文字)를 외치는 고승이라는 자들이 대중 앞에서 벌이는 많은 추태를 경험해온 나로서는 달라이라마의 이러한 진솔한 태도는 너무도 존경스러운 것이었다. 지식인들이 지식을 통하여 달성하는 경이로운 지혜의 경지, 그것이 단지 지식을 위한 지식의 축적에서 끝나는 것이 아니라 심오한 삶의 기쁨을 끊임없이 개척하고 또 그러한 지식의 축적이 가져오는 존재의 건강이 고승의 어떠한 경지보다도 더 광막한 지혜의 바다를 헤쳐나가게 만든다는 사실을 한국의 선승들은 헤아리지 못할 때가 너무도 많은 것이다. 나가르쥬나도 아띠샤도 쫑카파도 원효도 지눌도 당대의 최고의 과학인이요 지식인이라는 이 단순한 사실을 우리는 너무도 쉽게 망각하고 있는 것이다. 나는 때로 스님에게서보다 첨단과학자들에게서 더 많은 깨달음과 불법을 얻고 있는 것이다. 달라이라마는 다음과 같은 웅변으로 자신의 지식에 대한 논지를 매듭지었다.

“나는 달라이라마라는 제도에 의하여 어려서 발탁이 되었고 그래서 고독한 유년기 · 청년기를 포탈라궁에서 보냈습니다. 제가 티벹의 정신적인 지도자, 달라이라마 14세로서 공식적으로 즉위하여 포탈라궁의 사자좌에 앉은 것이 1940년 겨울이었습니다. 그때 내가 몇 살이었는지 아십니까? 그때 나의 나이가 만 5세였습니다. 나는 그때 취임식에 대한 기억조차 별로 없습니다. 보석장식이 달려있고 아름다운 조각이 새겨진 커다란 나무의자에 앉아있었던 기억만이 남아있을 뿐입니다. 저는 성장하면서 자연스럽게 바깥세계에 대한 무한한 동경을 가지게 되었습니다. 그리고 우연한 계기로 시계를 분해했다 조립했다 하는 기계조작의 취미를 갖게 되었습니다. 이런 취미를 통해서 내가 느꼈던 것은 그러한 작은 기계들이 법칙적으로 운행되도록 고안한 사람들의 의식을 지배하는 지식의 체계에 대한 무한한 호기심이었습니다. 나는 지식에 대한 갈망 속에서 나의 인생의 대부분을 보냈습니다. 지금도 나는 종교적 지도자들보다는 계발적인 과학자들을 만나기를 더 좋아합니다. 우리는 바람이라는 현상에 대하여 신화적 인식을 가지고 공포스럽게 생각할 때가 많습니다. 그러나 그것이 단순한 기압의 차이에 의한 기류현상이라는 것을 알게될 때, 우리는 너무도 많은 세계에 대한 새로운 인식을 갖게되고 또 바람이라는 현상을 예측하고 대비할 수 있는 지혜를 얻게되는 것입니다. 인류가 이성을 통하여 이렇게 과학적 지식을 개발한 이유는 바로 인간의 삶을 인과가 파괴되는 신화적 세계로부터 벗어나게 만들며, 인간이 보다 합리적으로, 즉 합다르마적으로 살 수 있는 지혜를 가질 수 있도록 하기 위함이었습니다. 오늘날 과학적 지식이 또 다시 인류를 위협하고 인간을 불행하게 만드는 악업의 수단으로 악용되고 있다고 해서 지식 그 자체의 가치를 근본적으로 폄하해서는 아니 되는 것입니다. 지식이 곧 지혜라는 신념은 나의 체험적 소산이며, 그러한 생각에는 동요의 여지가 없습니다."

우리는 학교에 간다. 지식을 습득하러 학교에 가는 것이다. 그런데 그 지식은 지혜가 아니라고 생각한다. 그것은 서울대학 입시 준비의 수단일 뿐이며, 좋은 회사 취직을 위한 방편일 뿐이다. 그 고귀한 지식들을 삶의 지혜로 전환시키지 못하고 사는 현대인들의 병폐를 생각하면 달라이라마의 체험적 호소는 얼마나 우리가 개화기의 지식에 대한 소박한 갈망으로부터 소외되었고, 타락되어 있는가 하는 것을 깊게 반성케 한다. 우리는 지혜롭기 위하여 공부하고 있는 것이다. 지식을 통하여 지혜에 도달한 위대한 지성인들의 모습이 상실되어 가고 있다는 것, 이것이야말로 현대인의 큰 병일 것이다.

취침 전에 경전을 암송하는 꼬마 스님들. 자려다가 내가 들어가 사진 좀 찍자하니까 구찮아하지 않고 자리에서 일어나 열심히 포즈를 취해주었다. 명랑하기 그지없었다. 보드가야에서.

"티벹의 승려들은 근대적 교육을 충분히 받고 있습니까?"

"도올선생께서 요구하시는 수준에 얼마나 미칠지는 모르겠지만 우리 티벹인민들의 교육과정은 상당히 근대화되어 있고 또 영어를 필수로 삼고 있습니다. 나는 네루의 도움을 잊지를 못합니다. 네루는 중국과의 정치적 문제에 있어서 우리 티벧의 입장에서 본다면 섭섭한 결정도 많이 내렸지마는, 그는 우리 망명정부가 인도땅에서 정착할 수 있도록 도와주었으며 무엇보다도 우리민족의 교육이 구원한 장래를 위하여 가장 우선적 문제라고 하면서 교육을 위한 기본설비를 지원해주었습니다. 인도사람들은 생각의 깊이가 있습니다. 그리고 우리 티벧사람들이 이렇게 남의 나라에서 자유롭게 살 수 있다는 것은 인도라는 문명의 토양이 아니면 근본적으로 불가능한 것입니다. 이 세계 어느 곳에서 인도와 같이 다양성을 포용할 수 있고 또 아주 본질적으로 관용의 품을 허락하는 곳을 발견할 수 있겠습니까?"

"영어를 가르친다고 하는 문제는 매우 중요한 것 같습니다. 그러나 영어를 가르친다고 하는 것은 영어라는 말을 가르치는 것이 아닙니다. 영어라는 언어매체를 통해서 표현된 인간의 생각과 그 생각의 역사를 총체적으로 습득하지 않으면 안되는 것입니다. 그리고 영어와 관련된 사고방식이나 습관, 기호까지도 같이 묻어 들어오게 됩니다. 즉 영어를 배운다는 것은 영어마인드를 배운다는 것을 의미하고, 이것은 곧 영어마인드와 나의 전통적 마인드가 갈등을 불러일으킬 수도 있다는 것을 의미합니다. 저는 영어를 배우면서 이러한 갈등에 몹시 시달렸습니다. 그리고 이러한 갈등을 해소하지 않으면 아니 되는 문제상황이 항상 나의 정신적 씨름판에 등장해 있었습니다. 진정한 잉글릿쉬마인드의 교육은 티벧마인드를 파괴시킬 수도 있고, 티벧멘탈리티의 순수성을 교란시킬 수도 있으며, 또 그러한 지식의 업장에 인간이 희생당할 수도 있습니다. 그러나 그러한 부정적인 측면을 두려워해서는 아니 됩니다. 진정으로 그러한 교육을 통해서 고유한 티벧마인드를 지킬 줄 아는 자만이 미래의 리더들이 될 것입니다."

달라이라마는 해외에서 공부하는 티벧 학승들이 길 잃고 타락하는 사례들도 소개했다. 그리고 오만의 업장에 가리어 본연의 순수성을 잃는 사례도 없지 않다고 시인했다. 그러나 티벧의 미래는 인류사의 보편적 흐름에 참여하는 근대국가의 구축이며, 그러한 근대국가의 구축은 전적으로 근대적 교육에 의존한다는 것을 역설했다. 그러면서 그는 다음과 같은 의미심장한 말을 던졌다.

"종교는 개인의 선택의 대상이지만 문화는 개인의 선택의 대상이 아닙니다. 티벧인민들이 어떠한 종교를 선택하든지간에 그것은 그들의 개인의 실존적 결단이나 사적인 취향의 문제로 귀결시킬 수 있습니다. 나는 티벧인이 기독교도가 되어도 좋고 이슬람이 되어도 좋다고 생각합니다. 종교적 자유를 얼마든지 허용할 수 있습니다. 그러나 우리에게는 뿌리깊은 불교문화가 전통과 관습으로서 배어있습니다. 이것은 개인의 선택의 문제라기 보다는 실존의 관계그물입니다. 나는 우리민족이 아무리 근대화되고 도올선생께서 말씀하신 대로 잉글릿쉬마인드의 포격을 당한다 할지라도 우리가 보유하고 있는 불교문화는 계속 이어지리라고 확신합니다."

아우랑제브(Aurangzeb)는 샤 자한과 뭄따즈의 셋째 아들이다. 그의 삶은 무굴 최고의 영화와 몰락을 동시에 구현했다. 데칸 아우랑가바드에 자기 부인의 화려한 묘를 지었다. 내 눈에는 이 비비까(Bibi-ka-Maqbara)가 따즈 마할보다 더 아름다웠고 완성도가 높았다. 그러나 자신의 묘는 관 하나 이외에 일체의 뚜껑을 가리지 않게 했다. 그는 1707년 2월 20일 아침기도를 올린 후 『꾸란』을 암송하며 죽어갔다. 그리고 그가 손수 지은 모자를 판돈 4.5루삐만을 장례비용으로 쓰게 했다. 그리고 자신이 베껴 만든 『꾸란』을 판돈, 305루삐를 당대의 무슬림 성자들에게 나누어 주게 했다. 그것이 그가 소유한 전부였다. 그는 무자비한 제국주의자였으며 극단적 수니파 금욕주의자였다.

# 엘레판타와 석굴암

달라이라마는 하나의 군주로서 볼 때에도 정말 개명한 군주였다. 마음이 열려있고 부패하지 않았으며 모든 도전 속에도 명랑한 자신감을 잃지 않는 그런 인간이었다. 그는 갑자기 대화의 주제를 돌리려는 듯 엉뚱한 질문을 했다.

"도올선생은 인도에 처음 오신 겁니까?"

"네, 처음입니다. 성하 덕분에 꿈에만 그리던 환상의 인도에 오게되었습니다."

"아~ 참 많은 것을 느끼셨겠군요. 우리 티벹인들은 인도를 아랴부미(Aryabhumi)라고 부릅니다. 거룩한 땅(the Land of the Holy)

이라는 뜻이지요. 나 역시 인도에 한번 순례 오는 것을 꿈에 그렸습니다. 제가 인도에 처음 발을 디딘 것은 1956년 겨울의 일이었습니다. 그때의 감회는 이루 다 말할 수가 없었습니다. 그때 라즈가트(Rajghat, 간디의 화장터)에서 느꼈던 아힘사(Ahimsa, 불살생·비폭력 저항운동)의 전율은 제 인생을 떠받치는 힘이 되기도 했습니다. 도올선생께서는 무엇을 느끼셨습니까?"

델리 라즈가트에 참배하고 있는 필자. 꺼지지 않는 불이 타오르고 있었다. "나는 비폭력주의에 대한 간디의 헌신이야말로 정치적 해결의 유일한 길을 예시했다고 확신했다." 『유배된 자유』에서

"저는 동경에 유학하고 있을 때 미국을 여행간 적이 있었습니다. 그레이하운드 뻐스에 몸을 싣고 필라델피아를 떠났는데 곤히 잠이 들었습니다. 어둠이 깊게 깔린 맨하탄 한복판으로 뻐스가 진입하기 시작했을 때 갑자기 눈을 뜨게 되었는데 제 눈에 비친 맨하탄의 야경은 정말 제 인생에서 두 번 다시 경험하기 어려운 경

외감이었습니다. 코앞을 스쳐 지나가는 위압적인 마천루들의 음영은 정말 거대한 레바이아탄들이었습니다. 그때 저는 노자의 말을 빌어 인간의 유위(有爲)의 장난이 이 지경에까지 이를 수 있다니! 라는 감회를 발하는 한시를 한 수 지었습니다. 저는 유위를 싫어하는 자연주의자였지만, 맨하탄이라는 유위의 극치를 매우 심미적으로 경탄스럽게 바라보았습니다. 그런데 인도에서 받은 가장 경이로운 느낌은 무위(無爲)와 유위(有爲)의 공존이 주는 격렬한 콘트라스트였습니다. 인도처럼 태고의 무위와 최첨단의 유위가 이렇게 자연스럽게 공존할 수 있다는 것은 참으로 상상키 어려운 새로운 경험이었습니다. 인도문명은 인간의 모든 가능성의 극한태를 다 공유하고 용해하는 희한한 힘을 가진 문명인 것 같습니다."

"참 재미난 표현이군요."

"저는 아시아대륙의 극동변방의 조그만 반도에서 태어났고 성장했습니다. 그런데 모든 사람이 암암리 자기가 태어난 문명이 세계문명의 중심이라고 생각하고 살게 됩니다. 저도 그러했습니다. 한국에서 어려서부터 본 세계지도는 태평양이 가운데 놓여있고 한국이 그 중심에 놓여있습니다. 제가 생각한 세계는, 한국이 직접적으로 속한 중국황하문명과 이 문명에 가장 큰 도전을 던진 그레코-로망 중심의 서구문명, 이 두 문명권을 동양과 서양이라는 개념으로 묶어 인류사 전체인 것처럼 생각하는 그러한 세계였습니다. 이러한 동·서양이라는 좁은 개념의 세계인식으로부터 벗어나기가 참 어려웠습니다. 요번 저의 인도여행은 너무도 다른 세계인식의 가능성을 저에게 피부로 와닿게 만들어주었습니다. 인도야말로 진정한 의미에서 세계의 중심이라고 말할 수 있는 곳이 아닐까? 최소한 그러한 시각에서 이 세계를 바라볼 때 훨씬 더 유용하고 다양한 세계인식이 생겨날 수 있는 것이 아닐까? 이런 생각이 들었다는 것이죠. 고생대를 연구하는 사람들은 코끼리가 인도대륙에 있는 것을 예로 들어, 아주 옛날에는 인도대륙과 아프리카대륙이 하나로 붙어있었다가 점점 떨어진 것이라고 생각하는데, 일리가 있는 것 같습니다. 인종적으로도 코카소이드(Caucasoid), 몽골로이드(Mongoloid), 오스트랄로이드(Australoid), 니그로이드(Negroid)의 4대 인종이 다양하게 섞여 인종박물관과 같은 느낌을 주고, 언어도 기어슨경(Sir George Gierson, 1851~1941)의 써베이에 의하면 723개의 언어가 있다고 하는데 크게 나누면, 드라비다어족(Dravidia), 인도-이라니안어족(Indo-Iranian), 남아어족(Austro-Asiatic), 한장어족(Sino-Tibetan)으로 대별됩니다. 인도정부가 공식적으로 인정하는 언어만 해도 15개가 됩니다.[102] 종교도 힌두교, 쟈이나교, 불교, 시크교, 이슬람, 기독교, 유대교, 조로아스터교(배화교) 등이 그 뿌리로부터 이 토양에서 성장해왔습니다. 기독교만 해도 예수의 사도인 도마가 AD 52년에 이곳에 와서 교회를 세운 것으로부터 시작되었다고 하니까요. 하여튼 저는 요번 여행을 통해 인도문명을 새롭게 탐구하게 되었고, 새로운 세계사의 인식에 도달하게 된 것 같습니다. 그것은 정말 크나큰 소득입니다. 누에가 고치를 벗어버리고 나비가 되어 날아가는 듯한 해방감을 인도에서 느꼈습니다."

"도올선생님같이 다양한 문명과 언어의 체험을 가지신 분이시니까 아마도 그러한 느낌은 매우 리얼하고 또 타인보다 훨씬 더 증폭되어 나타났을 것입니다. 불교유적을 보시면서는 무엇을 느끼셨습니까? 궁금하군요."

달라이라마는 정말 무한한 호기심의 소유자였다. 그리고 남의 말을 참으로 들을 줄 아는 귀를 가지고 있었다. 언젠가 나는 테레비 강연 속에서 우리말의 성인(聖人)이라는 표현에 귀 이(耳)변이 있는 것을 들어, 성인이란 남의 말을 잘 들을 줄 아는 사람이라고 이야기한 적이 있는데, 달라이라마는 정말 귀가 열린 성인이었다. 불교유적에 관한 나의 소감이 뭐 그리 들을 만한 게 있을까보냐마는 그는 내가 말을 야물야물 재미있게 잘 해서 그런지 계속 궁금해하고 있는 것이 분명했다.

"저는 인도에서의 첫날밤을 뭄바이의 하버베이(Harbour Bay)에서 지냈습니다. 아침에 일어나 호텔 창문을 열어보니 아라비아해면으로 반사되는 찬란한 햇살 저편에 그 유명한 게이트웨이 어브 인디아(Gateway of India)가 보이더군요. 첫날 특별한 계획이 없었기 때문에 게이트웨이 뒷켠을 어슬렁거리다가 어느 섬 관광을 가는 배가 있다기에 별 생각 없이 올라탔습니다. 동북쪽으로 9km가

량을 가니까 엘레판타라는 섬(Elephanta Island)에 도착하더군요. 저는 이곳 유적에 대한 아무런 사전정보가 없었습니다. 엘레판타는 학구적으로 소개된 책자가 거의 없이 방치된 유적이었으니까요. 열대의 날씨에 땀을 뻘뻘 흘리며 긴 계단을 올라가 섬의 중턱에 있는 석굴에 당도했을 때, 무방비상태로 갑자기 바라보게 된 석굴의 웅장한 모습에 저는 기절할 지경이었습니다. 이런 게 석굴이구나! 도무지 그 규모의 방대함과 돌조각의 섬세함, 그리고 인도인의 신화적 상상력의 스케일, 그리고 통돌을 깎아 들어간 석굴의 공간디자인적 감각의 탁월성에 저는 그만 아연해져버리고 말았습니다. 그런데 가슴아프게도 그토록 위대한 예술품이 너무도 형편없이 방치되어 지금도 열심히 파손되어가고 있었습니다. 포르투갈사람들이 16세기 이곳을 점령하였을 때, 이 위대한 신상조각들을 사격의 조준으로 사용하기도 했다니 참으로 인간의 무지란 끔찍한 것이지요. 성하께서 한국에 오시게 되면 딴 곳은 몰라도 꼭 한 군데는 가보셔야 할 곳이 있습니다. 조선의 옛

엘레판타 섬으로 가는 길. 저 산 중턱에 6·7세기에 성립된 것으로 추정되는 석굴사원이 있다.

엘레판타 동편 성소 입구(윗사진). 20개의 석주가 있는 마하데바 사원 본당 내부(아랫사진). 조명조건과 필자의 사진장비가 부실해서 엘레판타에서는 좋은 사진을 얻을 수 없었다. 유감스럽다.

왕국 신라의 고도 경주의 토함산 꼭대기에 있는 흔히 석굴암이라고 불리는 석불사(石佛寺)라는 곳이지요.[103] 동해바다에서 첫 일출의 햇살이 떠오르는 순간 이 석굴 속의 본존불의 이마를 비추게 되어 있는데 그렇게 되면 온 전신이 보드라운 여인의 살결처럼 살아 움직이지요. 지금은 전실이 지어져서 이런 광경을 볼 수가 없지만 저는 아홉 살 때 엄마하고 아버지하고 두 발로 토함산에 올라가 이런 감격스러운 광경을 목격하였습니다. 연화좌 위에서 편단우견(徧袒右肩)의 가사를 자연스럽게 흘러 내려뜨리고 항마촉지인의 자세로 결가부하고 앉아있는 이 본존의 근엄한 자태는 세계불교미술사에서 유례를 보기 힘든 정치한 환조석불입니다.[104] 그런데 우리 조선은 4계절의 일기 차이가 심하고 겨울에 바위들이 동파되기 때문에 인도와 같이 거대한 산이 통돌로 되어있는 그러한 자연현상이 근본적으로 불가능합니다. 그래서 석질 그 자체의 성격이 자연상태에서 통돌을 깎아 들어가는 식의 석굴은 존재할 수가 없습니다. 토함산 석굴은 석재를 다듬어 기하학적인 돔의 형식으로 쌓아올리고 그 안에 이상적 불토의 어떤 판테온을 조성한 것입니다. 본존 뒤에 자리잡은 십일면관음보살의 자애롭고 화려한 자태는 도무지 인간의 작품이라 말하기 어려운 기품이 있으며, 그 양 옆으로 서있는 십대제자의 리얼한 모습, 그리고 입구의 사천왕과 금강역사의 다이내믹한 모습 등은 그 절제된 조형성, 기하학적 정합성, 압축된 원융미에 있어서 세계불교미술사에 있어서 추종을 불허하는 걸작이라 하겠습니다. 저는 평소 우리나라 석굴암의 특유한 맛은 돈황 · 운강 · 용문석굴의 화려하고 장엄한 맛에

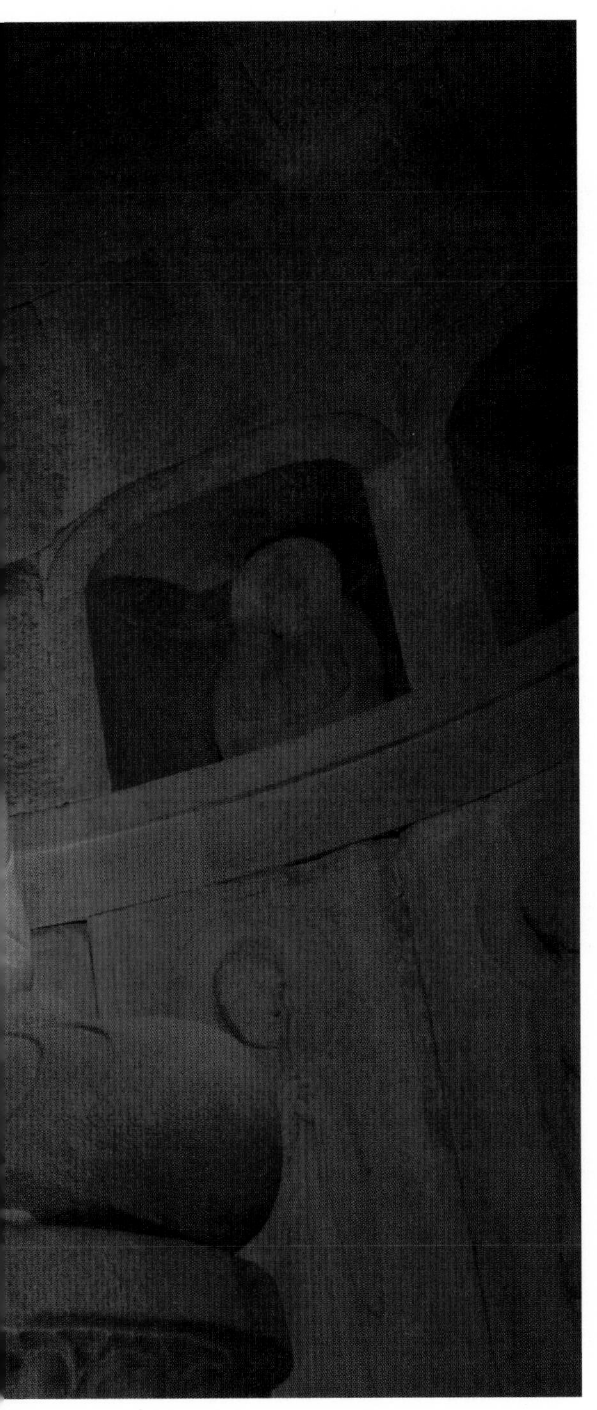

석굴암의 본존불과 그 주변의 감실. 감실의 존재는 석굴의 깊이를 주며 천연동굴의 자연미를 자아낸다. 이 석굴암의 성립연대가 아잔타 석굴의 하한선에서 불과 2세기 밖에 떨어져 있지 않다 할 때 신라 석공들의 손길의 세련미와 그 기하학적 조형성의 완벽미는 세계불교미술사의 한 경이라고 할 것이다. 그 근엄한 자태의 그윽함은 가히 비견할 곳이 없다.

석굴암 본존의 자태는 전통적으로 규정해온 32상의 모든 뛰어난 속성을 구현한 이상적 형상이다. 그러나 신라석공의 손길은 우리의 시선이 닿는 곳에만 머무르지 않았다. 그것은 완벽한 환조이며 편단우견의 옷자락이 등 뒤로 흘러내린 맵씨의 자연스러움은 비단결보다 더 고운 표현이다. 이런 섬세함은 인도·중국 어느 곳에서도 유례를 찾아보기 어려운 것이다. 촬영에 협조해주신 불국사·석굴암의 스님들께 감사드린다.

관세음보살은 우리가 잘 외우는 『반야심경』에는 관자재(觀自在)보살이라는 이름으로 나온다. “보는 것이 자유자재로운 보살”이라는 뜻이다. 관세음이란 문자 그대로 하면 “세상의 고통스러운 소리를 본다”는 뜻인데 하여튼 중생의 고통과 더불어 하며 이 세상에 끝까지 남아 세상을 구원하는 자비의 화신이다. 관세음보살은 원래 남성이다. 그러나 그 표현은 지극히 여성적이다. 온갖 화려한 영락(구슬)을 몸에 휘감으며 비치는 샤리가 흘러내리는 사이로 섬세한 손가락이 우리를 매혹시킨다. 왼손은 활짝 핀 꽃이 담긴 정병을 젖가슴 밑으로 치켜들고 있고, 발은 활짝 핀 연꽃을 살짝 딛고 있다. 관음의 특징은 두상에 있다. 본래의 얼굴 이외로 두부에 11개의 얼굴이 있는데 여기에 얽힌 전설은 많으나 세상을 구원하는 사람은 여러 얼굴을 가질 수밖에 없음을 나타낸 것이다. 깔깔 웃는 얼굴, 통곡하는 얼굴, 진노하는 얼굴, 관대한 얼굴, 자비로운 미소의 얼굴… 그 모든 얼굴이 필요한 것이다. 이를 일러 “11면관음보살”이라고 한다. 우리나라 석굴암의 관음보살상은 이 속세에서 인간이 표현한 지고의 모습이다. 살포시 내리뜬 눈 밑으로 오똑 솟은 광대뼈, 밋밋한 콧날 밑에 야무진 입술을 흐르는 잔잔한 미소, 그 얼굴은 젖가슴에 파묻혀 지켜보았던 엄마의 모습이며 아주 평범한 조선여인의 인종과 자애의 소담한 모습인 것이다. 내가 지금 대화를 나누고 있는 달라이라마는 관세음보살의 화신으로 티벧민중에게는 각인되어 있다. 관세음보살은 7세기에 티벧에 소개되었다. 달라이라마가 사는 포탈라궁의 포탈라라는 이름도 본시 관세음보살이 사는 지명에서 유래된 것이다. 티벧말로 관음은 “슬퍼하는 얼굴의 보살”(Spyan-ras gzigs)의 뜻을 가지고 있다.

이 사진을 여기 공개할 수 있게 된 것을 참으로 다행스럽게 생각한다. 내가 아홉살 때 석굴암의 모습인데 이 사진의 위대성은 동해일출의 햇살이 부처님의 이마를 한 줄로 비추고 있는 바로 그 현장을 담았다는 사실에 있다. 당시에는 전실이 없었다. 신라인의 석굴암은 이런 모습이었을 것이다. 나의 추억은 아련하면서도 생생하다. 엄마 주먹속에 쥐어진 고사리 손을 따라 꼬불꼬불 넘고넘고 또 넘어도 여명이 밝을 줄 몰랐던 토함산! 그 토함산의 정상에서 동해바다를 바라 보았을 때 옥색 수평선위로 방울방울 맺힌 빛방울이, 점점 모여 달걀의 노른자위처럼 뭉치더니 둥실둥실 떠올랐다. 갑자기 찬란한 빛줄기를 발하자 부처님의 이마를 한줄로 비추었고 온 몸이 살아있는 여인의 감추어진 피부처럼 뽀이얗게 피어오르기 시작했다. 터지는 경탄의 함성 속에 우리는 카메라 셔터를 눌렀다. 뒷줄이 아버지와 엄마, 앞줄 왼쪽으로부터 큰누나(전 교육부장관), 나, 작은누나. 이 사진은 행방이 묘연했다. 그러다가 기연으로 결국 이 사진을 찾아냈을 때의 나의 기쁨은 이루 말할 수 없었다. 그런데 아버지는 벌써 돌아가셨고 엄마는 노환으로 와병중이시다. 그런데도 나는 아직도 엄마·아버지의 추억을 어젯 새벽의 일처럼 생생하게 기억하고 그 의식속에서 나를 인식하고 있는 것이다. 이것이 바로 우리 생·노·병·사 윤회의 희비가 아닐런지.

도 비길 수 없는 것이며 그 단아한 품격을 양보할 생각이 없었습니다. 그러나 뭄바이 엘레판타섬의 방치된 유적들을 보는 순간, 그 건조물의 스케일감과 신화적 사건을 나타낸 자유분방한 표현의 다양성, 그리고 우주의 창조 · 유지 · 파괴를 상징하는 시바의 삼면얼굴, 마헤사무르띠(Mahesamurti, Triple-Headed Shiva)의 장쾌한 모습은 도무지 형언키 어려운, 저의 영혼을 압도하는 어떤 거대한 인스피레이션을 던져주는 그러한 걸작품이었습니다.[105] 우리나라 석굴암의 본존불의 상호에서 감지하는 고요한 적막 속에 살포시 눈썹을 내리감은 영원한 평화의 느낌, 그러한 느낌의 보다 장쾌한 깊이를 엘레판타의 마헤사(위대한 주, the Great Lord)의 모습에서 저는 발견했습니다. 영원한 명상 속에 살포시 내리감은 눈, 육감적인 도톰한 입술, 기다랗게 내려뜨린 귀, 날카로운 눈썹의 선율, 얼굴보다 더 높게 땋아올린 머리카락의 화려한 더미, 찬란한 목걸이 장식, …… 인도의 어느 곳에서 본 조각의 상호보다 이 시바의 얼굴은 뛰어난 세련미와 웅혼한 느낌을 간직하고 있었습니다. 카일라사 산에서 파르바티와 성교를 하고 있는 시바를 저주하기 위해서 카일라사 산을 번쩍 들어버릴려고 용솟음 치는 랑카의 마왕 라바나(Ravana)를, 부인을 껴안은 채 가볍게 발꼬락 하나로 지긋이 누르고 앉아있는 여유로운 시바의 모습,[106] 아~ 그리고 너무도 짓궂게 바람 피우는 남편 시바를 바람 못피우게 만들게 하기 위하여 파르바티 자신이 시바의 몸 속으로 들어가 창조했다는 시바의 자웅동체의 모습(Shiva Ardhanarishvara),[107] 그리고 파르바티와 주사위노름을 하면서 우주를 희롱하고 있는 시바의

마헤사무르띠

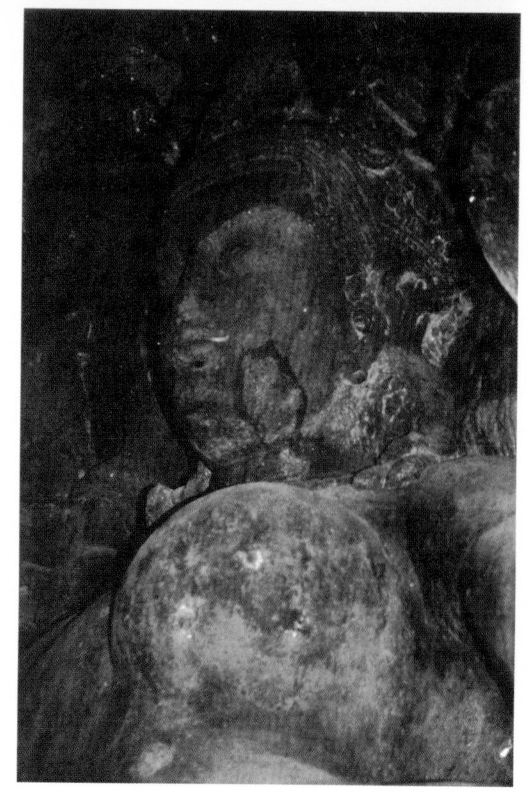

시바의 자웅동체의 모습. 불룩한 젖가슴 곁으로 내려뜨린 슬림한 왼손 팔뚝과 대비적으로 반대편의 남성적인 오른손은 난디를 누르고 있다. 터질듯이 풍만한 저 가슴의 표현을 보라! 시바의 마력은 모든 대립적 요소들을 융화시키는 힘에 있다.

카일라사 산을 들어올리려고 용쓰는 랑카의 마왕 라바나를 가볍게 누르고 앉아, 아랑곳 없이 파르바티와 희롱하고 있는 시바. 작품의 파손이 극심하다.

영원한 춤꾼 시바(Shivā Nataraja). 시바의 춤은 우주의 창조와 유지와 파괴를 상징한다. 춤추는 시바의 이미지는 아리안 이전의 토속신앙과 관련있다. 춤은 인간을 변화시키며 황홀경으로 인도한다. 춤과 요가는 같은 차원에서 이해되었다. 춤은 불이다. 불은 우리의 아집과 환상과 악업을 다 불살러 버린다. 시바의 춤은 우주의 리듬이며 중심이며 해탈이다. 윗사진은 엘레판타의 시바. 머리는 해골과 뱀으로 덮여있으나 얼굴은 평온하다. 파르바티, 인드라, 브라흐마, 비슈누가 지켜보고 있다. 아랫사진은 뉴델리 인도국립박물관 소장의 12세기 작품.

모습(Uma-Mehesvara-murti) 등등, 끊임없이 펼쳐지는 신화의 잔치에 저는 인도사람들에게 신화라는 것이 과연 무엇을 의미하는지를 알 듯했습니다. 그들은 지금도 신화 속에서 살고 있었습니다. 자웅동체의 한 몸뚱이에 표현된 터질 듯이 볼룩한 왼쪽의 젖가슴과 히프 위로 기다랗게 내려뜨린 슬림한 팔뚝의 보드라운 선율, 그것과 대비되는 오른편의 우직한 남성의 젖통없는 가슴과 난디(Nandi, 시바가 타고 다니는 황소)를 지긋이 누르고 있는 강력한 굽은 팔뚝의 남성적 표현, 너무도 너무도 저의 심미적 감성을 자극하는 명품중의 명품이었습니다. 우리나라의 석굴암은 8세기 중엽의 작품인데 이 엘레판타의 석굴은 그보다 한 · 두 세기 빠른 6 · 7세기 찰루캬스 왕조시대(The Chalukyas)의 작품으로 간주되는 것입니다.[108] 그런데 재미있는 것은 이러한 모든 힌두사원의 석조예술이 바로 대승불교의 불상운동으로부터 자극받고 영향을 받아 생겨났다는 사실입니다. 엘레판타의 석굴만 해도 그 주변의 까네리 불교사원석굴(Kanheri Caves)[109]과 동일한 연계선상에 있습니다."

엘로라의 한 석굴 앞에서 시바춤을 추고 있는 여인

"도올선생은 정말 다각적으로 사물을 관찰하시는군요. 미술사방면에서도 탁월한 견식을 가지고 계신 것 같군요."

## 소승, 대승, 아잔타!

"그리곤 곧 아잔타석굴(the Ajanta Caves)을 가보았습니다. 제가 너무도 유명한 그 아잔타에 관하여 뭐 특별히 얘기할 것이 있겠습니까만, 기원전 200년경부터 기원후 650년경까지 장장 8·9세기에 걸치는 불교미술, 조각, 건축, 회화의 찬란한 전개를 한 무대에서 굽어볼 수 있다는 감격은 저로 하여금 문헌으로만 접해왔던 불교미술의 프로토타입에 대한 새로운 안목을 틔게 해주는 것이었습니다. 그런데 아잔타석굴을 안내하던 관광가이드가 무심코 던진 한마디가 저로 하여금 인류의 종교미술사를 새롭게 정리할 수 있게 만드는 기준을 제공하는 천하의 명언이었습니다."

"그 말이 무엇입니까?"

"저보고 묻더군요, '소승과 대승의 차이가 무엇인지 아십니까?' 제가 머뭇거리고 있으니까 다음과 같이 말하는 것이었습니다. '불상의 유무지요. 소승에는 불상이 없고 대승에는 불상이 있습니다.' 사실 저에게는 가이드가 무심코 던진 이 한마디가 저에게 야기시킨 골똘한 생각들이야말로 제가 요번 인도유적관람에서 얻은 최고의 수확이었습니다. 학문이란 때때로 부정확하지만 포괄적인 경구를 통해 새로운 인사이트를 개척합니다. 그리고 저희 조선말에 '백문불여일견'이라는 말이 있는데 정말 실제로 그 현장을 한번 봄으로써 막연하게 머리 속에서만 개념적으로 그리고 도식적으로 이해했던 많은 추상적 문제들이 일목요연하게 구체화되어 나타나더군요."

"여기서 말하는 소승(Hinayana Buddhism)이란 결국 원시부파불교를 말하는 것이겠군요. 소승이란 의미를 남전불교 전체에 적용한다면 소승에 불상이 없다는 말은 정확한 표현이 아니겠지요. 부파불교도 계속 다양한 전승을 통해 발전한 것이고 따라서 대승적 성향을 흡수했으니까요. 그러나 아쇼카시대까지만 해도 스투파워십(Stupa Worship, 탑신앙) 중심이었고, 그 이전에는 분명 불타를 인간의 모습으로 형상화하는 일은 없었습니다. 산치대탑이나 바르후트대탑(Bharhut stupa)에 많은 부도(浮圖)가 그려져 있지만 불타의 인간모습은 없습니다. 보리수나무나 발자국이나 금강좌 등, 그 상징적 표현만 새겨져 있지요."

아잔타는 인도인의 심미적 감성을 유감없이 발휘한 인도대륙의 가장 위대한 조형물의 하나이다. 감정적인 연루가 없이 아잔타석굴을 본다는 것은 천하의 불경이다. 아잔타는 돈황에서 우리나라 석굴암에 이르는 모든 석굴의 아키타입이다. 그것은 BC 2세기 소승의 시대로부터 AD 7세기, 엘로라에 바톤을 넘겨주기까지 번창했던 비하라(승방)와 차이띠야(법당)의 밀집취락이었다. 아우랑가바드의 북서쪽 101km, 잘가온(Jalgaon)의 남쪽 55km 지점에 위치하며 인도의 남과 북을 연결하는 교통요지였으며 "데칸의 문"이라 불리었다. 우리나라 하회(河回)와 같이 생긴 와고라강(Waghora River)의 흐름으로 침식된 높이 96m에 이르는 반월형(말발굽형)의 절벽에 구멍을 파들어간 것이다. 지금은 사원과 사원을 연결하는 절벽 밑의 관광도로가 잘 조성되어 있지만 원래는 모든 사원이 각기 강으로 직접 연결된 고립된 형태였다. AD 7세기 힌두이즘의 왕조들이 번창하고 엘로라로 모든 예술가들이 집결되면서 아잔타는 퇴락되기 시작했고 결국 밀림 속으로 사라져 버렸다. 이것이 다시 발견된 것은 1819년 4월 28일, 호랑이 사냥을 나왔던 마드라스 주둔의 영국장교 죤 스미스(John Smith)였다. 강안 건너편 절벽 꼭대기에서 제10번 석굴의 돌구멍이 눈에 띄었던 것이다. 옆의 사진이 바로 제10번 차이띠야의 내부 석주 양 옆으로 형성되어 있는 회랑의 모습이다. 이 10번 사원은 아잔타에서 가장 오래된 소승의 사원으로 추정된다. 1200년 동안 인적이 끊어진 데칸의 밀림 속에서 이 장엄한 석주와 찬란한 회화를 발견했을 때의 그 외경을 한번 상상해보라! 스미스의 싸인이 새겨져 있다.

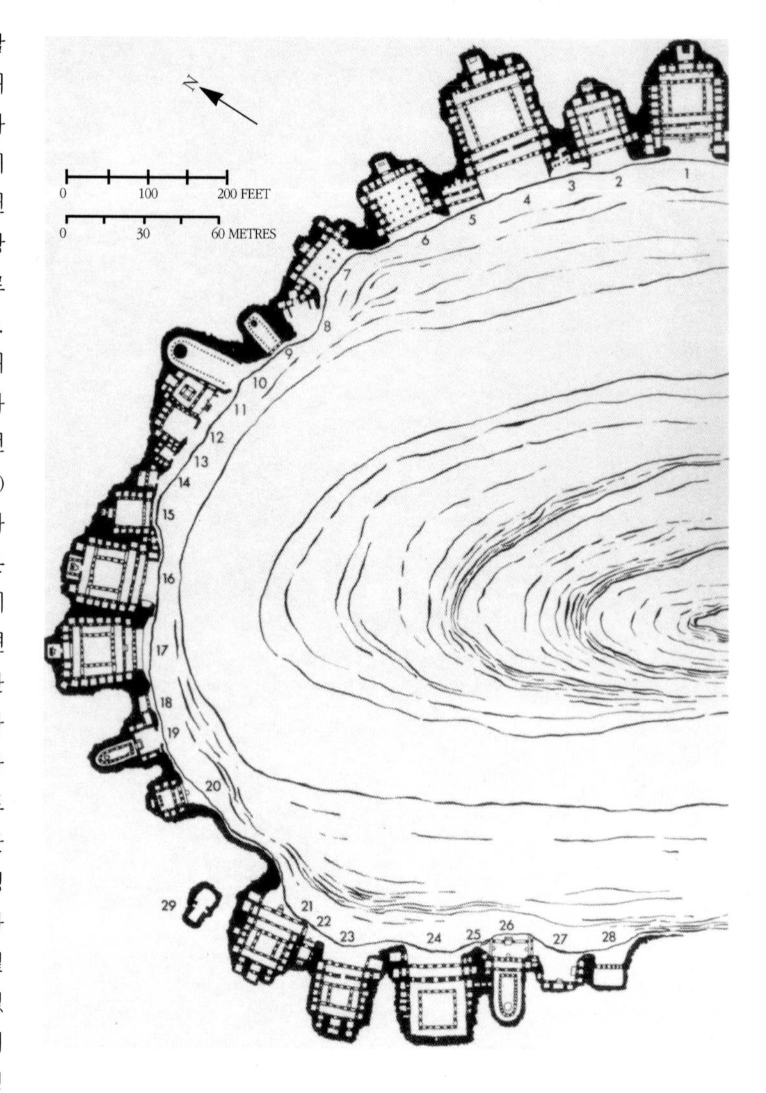

윗사진이 바로 죤 스미스가 제10번 석굴을 발견한 곳이다. 옆은 제10번 석굴의 기둥에 새겨진 보살들의 모습, 아잔타의 벽화는 대체로 자타카, 그러니까 싯달타 전생의 보살들의 이야기를 주제로 하고 있다. 때로는 동물로도 등장. 옆 페이지는 제1석굴의 유명한 연화수보살(蓮花手菩薩 Bodhisattva Padmapani)의 모습. 오른쪽 어깨위로는 원숭이가 장난치고 있고, 그 위로는 공작새와 여인의 모습이 보인다. 왼쪽 어깨위로는 천상의 악사 킨나라(kinnara)가 기타를 치고 있다. 천상·천하의 모든 유혹 속에서 고요하게 진리에만 몰두하는 보살의 모습을 그리고 있다.

나는 달라이라마의 불교사에 대한 정확한 지식에 저으기 놀라지 않을 수 없었다. 그가 아무리 불교학의 대가라 할지라도 이러한 논의는 종교적 체득을 넘어서는 어떠한 학문적 인식이 없으면 불가능한 것이기 때문이다. 그래서 나는 그에게 또 물었다.

"왜 원시불교시대에 있어서는 불타를 우리와 같은 등신의 모습으로 형상화하지 않았을까요?"

"가장 중요한 이유는 싯달타의 열반 때문입니다. 그의 열반은 완전한 윤회로부터의 해탈이었습니다. 따라서 그는 다시 인간의 몸을 지닌 어떤 형상체로서는 환생할 수가 없는 것입니다. 그의

제26번 아잔타 석굴 왼쪽벽에 새겨져 있는 거대한 열반상. 아랫단에 애통해 하는 제자들의 모습이 생생하게 표현되어 있다. 이 석굴은 제1석굴과 비슷한 시기, 7세기 초에 건립된 대승사찰이다. 현장법사도 이곳을 다녀갔다.

온전한 열반을 기리는 초기승단에 있어서 붓다를 인간의 형상으로 표현한다는 것은 불경이었고, 따라서 그것은 타부였습니다."

"그것이 원시경전에, 일례를 들면, 팔리율장 같은 데, 붓다를 등신불로 표현해서는 아니 된다는 그러한 계율이 명시되어 있습니까?"

"많은 경전에서 붓다는 구체적 형상을 넘어서는 어떤 거룩한 존재라든가, 여래의 몸은 영원한 열반의 세계로 들어간 이후로는 사람도 신도 볼 수가 없다는 등의 추상적 논의는 찾아볼 수 있습니다. 『숫타니파타』(*Sutta-nipāta*)에 '우파시바여, 사라져 버린 자에게는 더 이상 형태가 없다'라 한 것도 그 한 예이겠지요.[110] 그러나 그러한 문제를 계율로써 명시한 구절은 어느 곳에도 찾아볼 수가 없습니다. 그러니까 불타를 등신불로 표현하지 않은 것은 원시승가집단내의 일종의 불문율이었던 것 같습니다. 본생담을 표현한 본생도(本生圖)에는 물론 싯달타 전생의 보살들 이야기이니까 그 구체적 형상이 그려져 있습니다. 그러나 싯달타 자신의 생애를 표현한 불전도(佛傳圖)에는 불타의 모습이 빠져있습니다.[111]"

삼도보계강하(三道寶階降下). 바르후트 대탑의 일부. 붓다는 천상·천하를 마음대로 오르내리는 초인으로 그려지고 있다. 그런데 붓다의 형상은 없고 세 사다리 중 가운데 사다리의 제일 윗단과 제일 아랫단에 발자국이 새겨져 있을 뿐이다. BC 2세기 중엽. 캘커타 박물관.

# 이슬람의 형상거부

"인류의 종교사에 있어서 대중문화 · 예술과 관련된 가장 큰 잇슈 중의 하나가 결국 신성(Divinity)을 어떻게 시각화(visual representations)하냐는 문제와 관련되어 있다고 봅니다. 신은 일체의 시각적 표상을 거부한다든가, 인간외적 물체의 상징으로만 나타난다든가, 인간의 형상으로 표현된다든가 하는 여러 가지 표상방법이 있겠는데, 아주 간단히 나누면 아이코닉 이미지(iconic image)와 언아이코닉 이미지(aniconic imagery)로 나눌 수 있습니다. 아이코닉 이미지는 대체로 인간의 형상(anthropomorphic image)과 관련이 되어있습니다. 서양에서는 종교적 아이콘(icon)이라 하면 대체적으로 인간의 형상을 의미합니다. 그런데 인도의 베다제식전통에서는 신들에 대한 아이콘적인 형상이 허용되질 않았습니다. 브라흐만 사제들의 제식에 있어서도 제단과 주문 · 찬

가만 있었을 뿐, 어떤 구체적 신상을 만들지 않았던 것입니다. 아마 원시불교도 이러한 베다전통을 따라 이미 열반에 든 붓다의 형상화를 거부했을 것입니다. 그리고 유대교도 본시 야훼의 형상화를 거부합니다. 모세도 호렙산 떨기에서 타지않는 불꽃만 보았을 뿐이었고, 야훼에게 '당신을 누구라 하오리까?'하고 물으니 '나는 곧 나일 뿐이다. 나는 스스로 있는 자이로다.'(I am who I am. 『출』 3 : 14)라고 하고 그 구체적 형상화를 거부했습니다. 그리고 유대교의 지성소에는 일체의 형상이 허용되질 않습니다. 이러한 형상에 대한 극단적 거부를 표방하는 종교가 이슬람입니다. 이슬람이란 말 자체가 유일절대신인 알라에게 복종함으로서 마음의 평화(살람)에 도달한다는 의미지요. 그리고 이 유일절대자는 초월신이며, 이 '초월'이라는 뜻은 우리가 살고 있는 시공과 무관하다는 의미가 아니라 알라의 본질과 속성이 피조물과 유추될 수 있는 일체를 거부한다는 의미에서의 초월입니다. 이 초월자 · 유일자 · 보편자 · 창조자 · 지배자 · 전지전능자인 절대자에 대하여서는 일체의 상대적 형상이 거부되는 것입니다. 모든 마스지드(모스크, 회교사원)는 텅 비어있는 공간일 뿐이며, 사람들이 모이는 예배공간일 뿐입니다. 우리가 보통 지나치게 이슬람을 폭력적이고 배타적이고 과격한 종교로서 생각하는데, 사실 이슬람종교야말로 유일신관(monotheism)을 말하는 한에 있어서는 가장 정직하고 가장 정결하며 가장 정화된 종교라고 말할 수 있습니다. 따라서 이슬람은 유일절대신인 알라만을 숭배의 대상으로 생각하기 때문에, 예수나 무함마드나 모세나 붓다나 모든 종교의 개창자들을 예언자, 선

모스크 미흐랍(mihrab). 예배의 방향(메카쪽)을 알려주는 벽감(壁龕)일 뿐이다. 아무런 형상도 장식도 없다. 기독교에서처럼 "주의 종"으로서 목사(사제)도 인정되지 않는다. 알라와 인간 사이에 일체의 매개자가 인정되지 않는다. 예배시에는 모두 비슷한 흰 옷을 입기 때문에 신분의 차이도 드러나지 않는다.

지자로만 간주할 뿐이며, 알라가 보낸 사람으로만 여깁니다. 그러니까 아예 아리우스가 말하는 대로 예수에게도 신성을 인정하지 않고 인성만을 인정하는 것이죠. 이슬람의 교리는 매우 정직하고 간결합니다. 그래서 오히려 다양성을 포용하는 매우 관용적인 종교라 말할 수 있습니다. 이슬람의 강령이라 말할 수 있는 6신(六信)에, 알라가 유일하다는 전제하에서, 모든 종족에게 내려진 경전들을 믿으며, 모든 종족에게 나타난 선지자들을 다 믿고 존중한다는 신조가 명기되어 있는 것입니다.[112] 유일신인 알라에 대한 일체의 형상화를 거부한다면 사실 이슬람적 해결은 다원주의적 포용성을 얼마든지 지닐 수가 있는 것입니다. 그런데 이 형상에 대한 거부가 너무 강렬하다보니까 이종교(異宗敎)의 성상주의

(iconography)와 맞부닥치게 되면 그것을 파괴하는 아이코노클라즘(iconoclasm), 즉 성상파괴주의, 우상파괴주의로 나타나게 되는 것입니다. 최근에도 아프가니스탄의 탈레반정권이 바미얀대불(the great Buddha at Bamiyan)을 파괴한 것은 예술가적 심미성의 눈에서 볼 때에는 용서할 수 없는 만행으로 비칠 수도 있지만, 그들의 종교적 신념에서 본다면 아이콘은 또한 용서할 수 없는 신에 대한 모독이 되는 것입니다. 하여튼 이러한 아이코노클라즘의 소행은 이슬람의 역사에서 끊임없이 반복되어온 현상이지요."

"마침 이슬람 얘기가 나와서 말입니다만, 우리 티벹에도 라사를 비롯하여 여기저기 작은 규모의 무슬림 콤뮤니티가 있습니다. 지난 4세기 동안에 걸쳐 카쉬미르(Kashmir)와 라다크(Ladakh)지역으로부터[113] 이주해온 사람들인데 그들은 대개 역도(traitors)로서 규정된 사람들이었습니다. 그런데 나는 어려서부터 이들을 접촉하면서 세상에 이렇게도 경건하고 점잖고 순한 사람들이 있을 수 있는가 할 정도로 교양있고(cultured) 평화로운(peaceful) 사람들이었습니다. 그들은 우리 티벹에서 온전한 자유를 누리며 생활하며 티벹사람들과 싸우는 법이 없을 뿐 아니라 우리 불교도들과 결혼하고 인척관계를 맺으며 해피하게 살고 있습니다. 말씀하신 대로, 추상적이고 보편적인 알라신에게로의 절대적인 복종을 통해 평화를 얻고 사는, 그러면서도 우상숭배적인 미신에 빠지지 않고 담박하게 살 줄 아는 이슬람 고유의 정신을 잘 구현하고 있는 사람들이 우리 티벹무슬림들 같아요."

달라이라마는 정말 폭이 넓은 인류의 스승이었다. 그는 어느 종교든지 그 훌륭한 장점을 긍정적으로 인정해주는 데 인색함이 없었다. 나는 계속 형상(iconic)과 비형상(aniconic), 등신불과 법신불, 대승과 소승의 논제를 계속 풀어나갔다.

"그런데 이러한 비형상주의적 경건성에 비하여 아주 색다른 표현력을 가진 문명이 있습니다. 이것이 바로 헬라스, 그리스 문명입니다. 크레테섬의 미노아문명에서 출발하여 이방정복자들의 문명을 창조적으로 결합해간 이 그리스 문명은 일찍이 신의 모습을 인성으로 표현하는 데 하등의 주저함이 없었을 뿐 아니라 그러한 인간주의를 그들의 합리적 사유의 근원으로 삼았습니다. 그러니까 기독교가 초기로부터 아이코노그라피를 발전시킨 것도, 결국 희랍세계와 접목됨으로써 시작된 것이며 예수의 모습도 초기에는 아폴로신상을 닮았던 것인데 로마제국의 제국종교가 된 이후로부터는 희랍의 영향을 받는 로마조각의 영향하에 예수의 모습은 세계를 지배하고 심판하는 로마황제를 닮은 아이콘(Christ as the imperial reigning Lord)으로 발전해나가는 것입니다.

5세기 이전까지만 해도 십자가에서 수난받는 예수의 아이콘은 존재하지 않았습니다. 십자가 수난의 예수의 아이콘은 10세기에서 부터나 본격적으로 등장하는 것인데, 이것은 승리를 구가하는 황제적 지배자의 모습에서 고난당하는 단순한 한 인간제물의 모습으로 근원적인 패러다임이 전환되었다는 것을 상징하는 것입니다. 십자가 수난의 아이콘은 르네쌍스·종교개혁시대를 거치면서 보다 인간중심주의적으로 해석되었습니다. 그런데 기독교의 아이콘의 역사에서 매우 특기할 사건은 우상파괴논쟁(Iconoclastic Controversy)입니다. 이것은 8~9세기에 걸쳐 비잔틴제국에서 일어난 정치·종교·문화적 대사건이었는데, 아이콘을 숭상하는 희랍문화권의 기독교인과, 희랍문명을 벗어나 있는 동방전통 그리고 셈족전통(Eastern or Semitic tradition)의 기독교인 사이에서 일어난 충돌로서 간주될 수 있는 것입니다. 황제 레오3세(Emperor LeoⅢ, r. 717~741)는 성상을 숭배하는 행위를 금지시키는 칙령(two edicts against the veneration of icons in 726 and 729)을 반포하였고 성상옹호론자들을 박해했습니다. 그러나 결국 이러한 행위는 성상옹호론자들의 단합과 이론적 강화를 꾀할 뿐이었습니다. 그 이후 레오4세의 부인이며 희랍지역출신이었던 황후 이레네(Empress Irene)는 다시 성상주의를 옹호하기에 이르렀지요. 그 뒤 레오5세 때 잠깐 다시 성상파괴론이 부활했지만, 결국 테오필루스 황제(Emperor Theophilus)가 죽고난 이래, 그의 부인 테오도라(the regent-empress Theodora)에 의하여 성상주의는 희랍정교회의 정통으로 요지부동한 지위를 확보했습니다. 이로써 먼 훗날 르네쌍스 예술이 만개할 수 있는 초석이 놓여지게 된 것입니다."

"불교의 아이코노그라피는 저도 자세한 정황은 잘 모르겠지만 결국 스투파신앙에서 진일보한 어떤 계기에 의하여 이루어진 것이 아닙니까?"

# 불상의 탄생

"그렇습니다. 바로 그것입니다. 많은 사람들이 상좌부(Theravāda)와 대중부(Mahāsāṅghika)의 분열을 계기로, 대중부가 발전하여 대승불교운동이 일어난 것이라고 이야기하곤 하지만 그것은 정확한 역사적 정황을 전달하는 이야기는 아닙니다. 대중부도 어디까지나 소승부파불교의 일파에 불과한 것이며, 그것이 곧바로 대승불교로 발전했다고 보기는 어렵습니다. 물론 대승불교운동에 대중부의 이론이 보다 깊은 영향은 주었을 것입니다. 결국 초기부파불교의 주축이 아라한을 지향하는 상주(常住)의 특수승려집단에 한정되었던 것이라면, 대승불교운동은 아쇼카시대에 극성했던 스투파신앙의 홍기에 따라 파생된 레이맨(layman) 즉 재가신도들을 중심으로 일어난 대중혁신운동이라고 보아야 한다는 것입니다. 스투파신앙이 일어나자, 역사적 싯달타의 진신의 일부가

담겨져 있다고 간주된 묘역으로 많은 신도들이 모여들게 되었고, 그 탑(묘) 주변으로 먼 지역으로부터 와서 탑돌이를 하는 사람들이 며칠 · 몇 달을 머물 수밖에 없어 자연히 묘역에는 여행객들의 콤뮤니티가 형성될 수밖에 없었습니다. 그리고 스투파는 본시 승가에서 관리한 것이 아니었으며 지역의 종족사회에서 창출한 매우 개방적인 공간이었습니다. 이들 스투파 주변의 신도들을 향해 붓다의 본생담들을 재미있게 이야기하는 설화꾼들이 생겨났고, 이 설화꾼들은 전혀 기존의 승가에서 계율을 받은 승려가 아닌 자유로운 신분의 사람들이었으며, 유식하고 유능하고 말재주가 있는 사람들이었습니다. 이들은 붓다의 전생 이야기나 붓다 당대의 전기와 관련된 이야기를 하다보니까 마치 큰바위 얼굴의 주인공처럼 자연히 그 주인공인 붓다와 자신을 동일시하게 되었고, 승려의 기능을 하는 새로운 지도자상으로 변모되어 갔습니다. 그리고 싯달타 전생의 본생담주인공들을 '보살'(Bodhisattva)이라고 불렀기 때문에 자신 또한 보살이라 부르게 되었고, 그렇게 꾼으로 살다보니까 모종의 새로운 계율도 만들게 되고 또 새로운 승가를 형성하게 되었습니다. 이것이 곧 새로운 대

아쇼카가 세운 스투파. 바이샬리. 이 탑에 관하여서는 현장의 『대당서역기』 권제7에 상세한 기술이 있다. 이런 탑 주변으로 보살운동이 일어났고, 대승불교가 탄생된 것이다.

우리나라의 통도사는 부처님의 진신사리를 모심으로 해서 존재의의를 갖는 사찰로서 그 가람의 성격이 초기불교의 정신에 가장 가깝게 오는 우리나라의 사찰이라 할 수 있다. 이 통도사를 창건한 스님, 자장율사는 신라 진골출신으로서 인도를 여행한 현장과 동시대의 인물이다. 여기 보이는 사진은 금강계단(金剛戒壇)이라 부르는 통도사의 핵심부이며 중앙에 부도 형태의 스투파가 있다. 그 앞에 있는 대웅전에는 불상이 모셔져 있지 않은 것으로 유명한데 그것은 너무도 당연한 것이다. 대웅전은 이 금강계단 스투파에 대한 전실로서의 기능 밖에는 지니지 않는 것이기 때문이다. 금강계단은 선덕여왕대 646년에 창건된 것으로 추정되나 오늘의 모습은 진신사리를 탐내는 외세의 침략으로 인하여, 수없는 수난을 거쳐 변모된 것으로 그 본래 면목을 찾아볼 길은 없다. 그렇지만 산치대탑과도 같은 초기 가람의 어떤 심층구조를 반영하고 있는 것으로 보인다. 자장율사가 이 사리(부처님의 유골)를 모시기 위하여 부처님께서 가장 많은 설법을 하셨다고 한 라즈기르(왕사성)의 영취산과 가장 비슷한 지형을 우리나라에서 찾아낸 곳이 바로 이 곳 통도사 자리라고 한다. 통도사 뒷산을 지금도 영취산이라 부르고 있다.

승불교운동의 출발입니다. 그러니까 대승불교는 개인의 자각의 불교로서보다는 대중의 신앙(śraddhā)의 불교로서의 성격이 강했고, 또 아라한의 경지보다는 곧바로 붓다(최종적 각자)가 되는 것을 희구하게 되었던 것입니다.

역사적으로 본다면 대승불교운동 이전까지만 해도, 역사적 붓다의 구체적 체취가 어떤 방식으로든지 전승되어왔기 때문에, 추상적인 비아이콘적 형상, 즉 보리수나 발자국이나 금강좌의 상징물만 가지고도 간접적으로 붓다를 느끼는 것에 만족할 수 있었지만, 대승불교운동시기에 오면 역사적 붓다로부터 너무 시간이 격절되었고, 소승부파불교의 전승과 동떨어진 일반재가신도들이 붓다에 관한 정보가 너무도 추상적이었기 때문에 보다 구체적인 이미지를 요구하게 된 것은 너무도 당연한 일이었습니다. 지금 성하 달라이라마를 눈으로 직접 목격하고 있는 저는 달라이라마에 관한 구체적인 이미지가 없어도 모든 상상과 느낌을 항상 동원할 수 있지만, 전혀 성하를 한번도 뵌 적이 없는 사람들, 혹은 시대적으로 격절된 한참 후대에 성하를 한번 느껴보고자 하는 사람들은 성하의 사진이나 동상같은, 보다 구체적인 이미지를 요구하게 되는 것과 동일한 원리일 것입니다. 그러나 타부시 되어온 입열반의 붓다를 등신의 아이콘으로 제작한다는 것은 정말 대변혁적인 발상의 전환이 없이는 불가능한 사건이었습니다. 다시 말해서 비아이콘에서 아이콘으로의 전환은 타부가 지배하던 승가집단내의 논리로는 불가능했다는 것입니다. 그런데 대사건이 발생했습니다. 아쇼카 전성시대에 불교는 인도의 북서쪽, 지금의 파키스탄 · 아프가니스탄쪽으로 이동하여 위세를 떨쳤는데, 이 지역은 알렉산더 원정이후에 알렉산더대왕이 떨궈놓고 간 그리스인들에 의하여 세워진 박트리아왕국이 지배하던 영역이었습니다. 이 박트리아는 중국역사에는 대하(大夏, 따시아)라는 이름으로 나옵니다. 그런데 이 박트리아왕국은 결국 중국역사에서 월지(月氏, 月支, 위에즈)로 통칭되는 쿠샨족의 왕조로 대치되었고, 이 쿠샨왕조(Kushān Dynasty, 중국역사에서는 꿰이수앙[貴霜]으로 불리움)야말로 불교를 적극적으로 열렬하게 수용하여 왕조문화의 기반을 닦았는데, 그 지배영역에 바로 간다라(Gandhara)지역과 마투라(Mathura)지역이 들어가 있는 것입니다. 불상의 기원이 간다라냐? 마투라냐?를 놓고 사계의 열띤 논쟁이 있지만 저는 간다라기원설을 정설로 받아들입니다. 그러니까 불상이 최초로 제작된 것은 AD 1세기말경으로 추정되는 사건이었습니다.[114]

우리는 쿠샨왕조하며는 그 전성기를 이룩한 카니쉬카(Kaniṣka)왕 생각이 나고, 카니쉬카왕하며는 『한서』(漢書)를 지은 반고(班固)의 동생 반초(班超) 생각이 납니다. 반초는 형 반고, 아버지 반표(班彪), 여동생 반소(班昭)와 함께 이름을 날린 초(楚)나라 명가의 자손으로 서역의 정벌에 대공을 세운 명장인데, AD 90년경 파미르고원을 넘어 카니쉬카왕의 군대와 일대 격전을 벌려 결국 카니쉬카의 무릎을 꿇게 하고 말았지만, 카니쉬카는 현명하게 화친을 맺고 오히려 파미르고원의 동서에 걸친 실크로드의 요지를 장

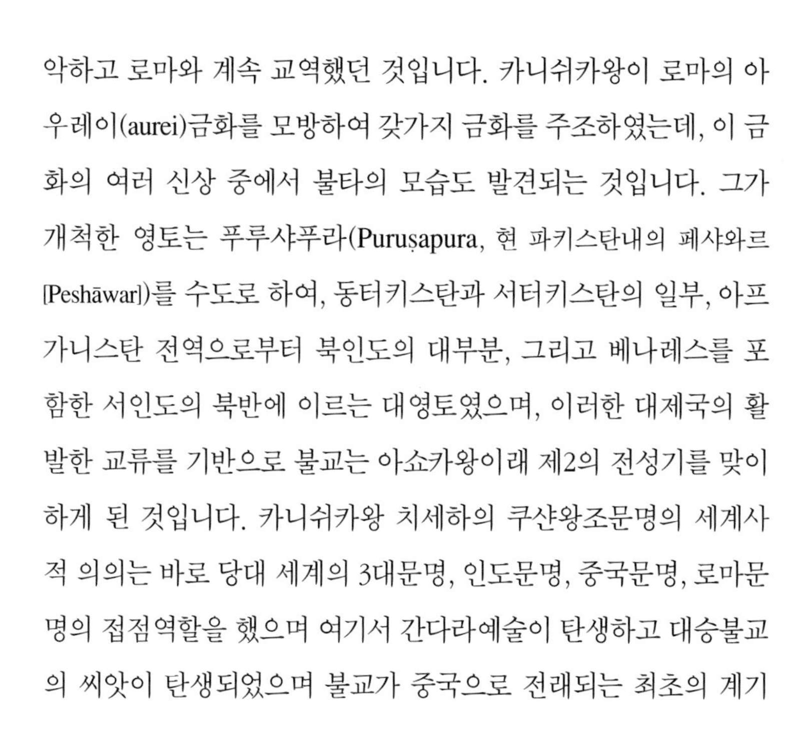

제2의 아쇼카라 할 카니쉬카 왕이 로마의 아우구스투스 주화를 모방하여 주조한 이 금화들은(AD 1 · 2세기) 쿠샨왕조의 종교와 문화에 대한 위대한 선전물이라 할 수 있다. 변형된 그리스 문자가 분명히 "붓다"임을 명시하고 있다. 광배와 긴 귓밥, 휘감은 법복의 주름형태들이 이미 오늘날 불상의 조형적 요소를 다 포함하고 있다. 그리고 난디를 타고 있는 시바의 주화도 발견된다. 쿠샨왕조의 국제적 성격과 다양한 종교에 대한 관용성을 잘 전해주고 있다. 대영박물관 소장.

악하고 로마와 계속 교역했던 것입니다. 카니쉬카왕이 로마의 아우레이(aurei)금화를 모방하여 갖가지 금화를 주조하였는데, 이 금화의 여러 신상 중에서 불타의 모습도 발견되는 것입니다. 그가 개척한 영토는 푸루샤푸라(Puruṣapura, 현 파키스탄내의 폐샤와르[Peshāwar])를 수도로 하여, 동터키스탄과 서터키스탄의 일부, 아프가니스탄 전역으로부터 북인도의 대부분, 그리고 베나레스를 포함한 서인도의 북반에 이르는 대영토였으며, 이러한 대제국의 활발한 교류를 기반으로 불교는 아쇼카왕이래 제2의 전성기를 맞이하게 된 것입니다. 카니쉬카왕 치세하의 쿠샨왕조문명의 세계사적 의의는 바로 당대 세계의 3대문명, 인도문명, 중국문명, 로마문명의 접점역할을 했으며 여기서 간다라예술이 탄생하고 대승불교의 씨앗이 탄생되었으며 불교가 중국으로 전래되는 최초의 계기를 형성하였다는 것입니다. 그런데 우리가 주의하여야 할 것은 이 시기에 쿠샨왕조에 전래된 불교가 대승이 아니라 소승부파불교였으며, 그 중에서도 특히 설일체유부(說一切有部, Sarvāsti-vādin)의 교학이 집대성되었다는 것입니다(불경의 제4결집 성립). 『대비파사론』이 편찬되었으며, 전설이기는 하지만 그 유명한 불교시인 아슈바고샤(Aśvaghoṣa), 마명(馬鳴)보살도 브라흐만계급의 출신으로 카니쉬카 왕의 친구였다는 것입니다.

그러므로 최초의 불상계열에서는 대승의 영향은 찾아볼 수가 없으며, 소승의 아가마의 내용을 전달하는 불전도(佛傳圖: 불타의 생애를 말해주는 그림을 부조로 조각한 것이며 이것은 불타 단독의 조상이 아니라 여러 오브젝트들이 같이 등장한다)계통이었다는 것입니다. 그리고 이 불전도에 그려넣어진 불타의 모습에서 발전하여 단독불상이 출현한 것은 타카타(高田修)선생의 고증에 의하면 AD 120~130년경이 된다고 합니다.[115] 이 초기 단독불상에도 '보살'개념이 없다는 것은 아직 대승적 성격을 구현하고 있지는 않다는 것입니다.

그러니까 불상이 제작되기 시작한 것은 박트리아 희랍문화로부터 시작된 쿠샨왕조의 일반적 문화풍토에서 우발적으로 생겨난 것으로 보입니다. 이들은 아폴로나 제우스의 신상이나 신화의 내용을 담은 부조들을 벽면이나 정원의 치장에 자연스럽게 사용하고 있었으며, 이 지역에 불교가 전파되자 자연스럽게 그러한 그리스의 신상들을 모델로 해서 붓다의 모습을 형상화했던 것입니다. 간다라의 불상들은, 근엄한 명상인의 정형화된 32호상의 프로토타입을 전달하는 후기 마투라불상들과는 달리 매우 인간적인, 아폴로를 닮은 미남자의 모습이었으며, 그 표현양식도 자세나 의복, 머리맵시 등이 자유분방한 표현을 취했으며, 대개 희랍-로마풍을 본뜬 것이었습니다. 이들의 조각공들은 중인도의 불상불표현(佛像不表現)을 고집한 원시교단의 입장이 전혀 전달이 되어있지 않은 상태였으며, 신을 의인적으로 생각하고 인간의 모습으로 표현하는 데 익숙한 이들은 그들이 존경하는 불타를 형상화하는 데 아무런 거리낌이 없었을 것입니다. 이렇게 우발적으로 간다라에서 불상이 발생하자, 이것은 전염병처럼 퍼져 나가기 시작했습니다. 지모신, 나가(nāga), 약샤(yakṣa), 약시(yakṣī)신상 등 인도고유의 토착적 양식을 고집하면서 테라코타 · 석조조각의 전통을 가지고 있었던 마투라지역에 이러한 간다라의 불상제작의 충격이 전달되자 마투라의 석공들은 독자적인 불상을 제작하기에 이르렀고, 이러한 마투라의 불상이 결국 스투파신앙을 계기로 일어난 대승불교운동과 접합되면서 전인도적인 센세이션으로 불꽃처럼 일어나게 되었던 것입니다.[116] 대승운동과 불상운동은 떼어놓을 수 없는 하나의 운동이었습니다. 그리고 스투파와 같은 아브스트락트한 (추상적인) 물체의 숭배를 통해 그 스투파의 주인공인 싯달타를 한번이라도 만나보고 싶고, 한번이라도 그 옷깃을 스쳐보고 싶었던 일반신도들의 간절한 염원 속에 등장한 불상의 존재야말로 새로운 보살운동에 거대한 불씨를 일으키기에 충분한 대사건이었던 것입니다."

"도올선생의 말씀을 듣고 있자니 시간가는 줄을 모르겠군요. 어쩌면 그토록 세세하고 치밀하게 그런 역사적 정황을 유추하시는지요. 우리 종교인들은 아무래도 종교적 진리의 체득을 목표로 하여 살게 되니까 역사적 정황에 대하여 그렇게까지는 세밀한 연구를 하지는 못합니다. 마치 살아 움직이는 백과사전을 마주하고 앉아있는 느낌입니다. 해박한 역사적 배경을 말씀하여 주시니까 너무도 배우는 것이 많습니다. 좀더 계속하시지요."

"지난 세기만 하더라도 우리 조선에서도, 등신불을 없애고 법신불로 회귀한다는 명목으로 새로운 종교운동이 등장하기도 했습니다만, 하여튼 비아이콘과 아이콘의 대립적 상황은 세계종교사를 지배하는 반복되어온 패턴 중의 하나라는 것입니다. 초기부파불교에서는 무불상(無佛像)이었던 것이 대승불교운동으로부터는 불상중심 운동으로 전환된 것은 불교가 세계로 전파되는 가장 결정적 계기를 마련하였으며 이 계기의 핵에는 재미있게도 희랍문명이 자리잡고 있다는 것이죠. 그러니까 조선반도의 동해바다 남단에 위치한 석굴암도 결국 희랍의 조각예술의 전변형태라는 것을 사람들이 간과하고 있다는 것이죠. 그리고 거칠게 말해서 조선의 가람배치도 탑중심은 소승의 영향이고 불상중심은 대승의 표현이라고 말할 수도 있는 것인데, 사람들은 이렇게 단순한 역사적 진리에 무지하다는 것입니다. 그러나 현실적으로 민중의 불교는 모두가 불상중심불교가 되어버렸지요."

"그러나 대승교학이론의 핵심에는 스투파나 불상에 대한 거부의 경향도 현저하게 나타나고 있지요."

# 불상과 반야

"그렇습니다. 제가 번역한 반야경전계열의 작품으로서 AD 200년경에 성립했다고 하는 『금강경』(*Vajracchedikā-prajñāpāramitā-sūtra*)[117]을 펼치면 제5분에 이런 말이 있습니다. '수보리야! 네 뜻에 어떠하뇨? 몸의 형상으로 여래를 볼 수 있겠느냐? 없겠느냐?' '없습니다. 세존이시여! 몸의 형상으로는 여래를 볼 수 없습니다.' 부처님께서 수보리에게 이르시되: '무릇 있는 바의 형상이 모두 허망한 것이니, 만약 모든 형상이 형상이 아님을 보면 곧 여래를 보리라!'[118] 그리고 또 제12분에 보면 이런 말이 있습니다. '이제 다음으로 수보리야! 어디서나 이 경을 설하되, 사구게 하나라도 설하는 데 이른다면, 마땅히 알라, 바로 그곳이 일체세간의 하늘과 인간과 아수라가 모두 기꺼이 공양하는 부처님의 탑묘와도 같은 곳이 되리라는 것을. 하물며 어떤 사람이 있어 이 경 전체를 수지하고 독송함에 있어서랴! 수보리야! 마땅히 알지니, 이 사람은 최상이며 제일인 희유의 법을 성취하리라는 것을. 그리고 이 경전이 있는 곳이 바로 부처님과 그의 존경스러운 제자들이 계신 곳이 된다는 것을.' [119]

저는 예전에 이런 말씀을 제 자신이 읽고 깨닫고 번역했다고 생각했습니다만, 그 역사적 참된 정황을 아잔타석굴에 와서 비로소 깨달을 수 있었던 것입니다. 아하~ 그랬었구나! 하는 깨달음이 불상의 유무에 의하여 소승·대승이 갈린다고 하는 관광가이드의 말을 듣는 순간 저의 뇌리를 스쳤던 것입니다. 여기 『금강경』의 '몸의 형상'으로는 여래를 볼 수 없다 하는 구절은 반드시 대승불교의 불상운동의 전개를 전제로 해서만이 성립할 수 있는 경(經)의 말씀인 것입니다. '몸의 형상'은 다름 아닌 '불상'입니다. 그것은 간다라-마투라 예술양식이래로 대승불도들 사이에 전염병처럼 퍼져간 불상의 공양을 두고 하는 말입니다. 불상에 키스하고 침 바르고 발맞춤하고 향유를 칠하고 향불을 피우며 꽃잎을 흩날리는 그러한 공양으로는 도저히 여래를 볼 수 없다! 이것은 역으로 그 당시 얼마나 불상숭배가 성행했었나를 잘 말해주는 것이며, 이것은 인도역사에 있어서 예전에 없었던 새로운 문명의 패러다임의 등장을 의미하게 되는 것입니다. 힌두교도 결국 이 패러다임에 의하여 새롭게 태동되기 시작했으니까요. 이러한 새로운 패러다임의 견제, 부정, 혹은 선도라는 차원에서 반야사상이 성립한 것입니다. '모든 형상이 형상이 아님을 보면 곧 여래를 보리라'하

세계최대의 불상, 바미얀 대불 (The great Buddha at Bamiyan). 『대당서역기』에도 언급되어 있다. 이것 역시 통돌을 파고 들어간 마애불이다. 이미 성상파괴자들에 의하여 얼굴이 깎여 나갔던 이 대불은 최근 아프카니스탄의 이슬람 원리주의자들에 의하여 사라지고 말았다. 인류를 향한 탈레반의 가장 멍청하고도 악랄한 쇼였다. 파리 귀메박물관.

는 말씀은 반야사상을 표현한 명구라 하겠습니다. 즉 싯달타가 불타가 될 수 있었던 것은 색신과 관계없는 만고불변의 지혜(반야) 때문이며, 따라서 불의 상에 집착할 것이 아니라, 그 상을 상다웁게 만들고 있는 지혜, 그 지혜를 참으로 깨닫는 것만이 참된 신앙이라는 것입니다. 그것이 '파라미타'(pāramitā), 곧 지혜의 완성(perfection)이라는 것이죠. 그 반야의 완성은 오히려 우리가 보고 있는 모든 상이 상이 아니라는 부정에서 출발하는 것이며, 이러한 부정의 논리에서 공(śūnya)사상이 발전한 것입니다. 용수(Nāgārjuna, c.150~250)와 같은 위대한 사상가가 활약한 시기도 바로 이렇게 불상숭배가 극도로 치닫고 있던 시대상을 배경으로 하고 있었습니다.

반야사상을 표방한 최초의 경전이 『팔천송반야경』(八千頌般若經, *Aṣṭasāhasrikā-prjñā-pāramitā-sūtra*)이며 이것은 대강 예수의 삶과 동시대에 성립(기원 전후~AD 50)한 것입니다. 그것이 『십만송반야경』(十萬頌般若經), 『이만오천송반야경』(二萬五千頌般若經), 『일만팔천송반야경』(一萬八千頌般若經) 등으로 확대되었다가, 『금강반야경』, 『반야심경』 등으로 새롭게 요약된 것은 2·3세기로부터 5세기까지에 걸쳐 일어난 사건이었습니다.[120] 이러한 모든 사상적 고찰도 우리는 미술사의 제문제와 연계해서 생각해야 한다는 것입니다."

"참으로 명쾌하고 탁월한 견해입니다."

달라이라마는 시간에 쫓기고 있는 것이 분명했다. 팔목에 찬 시계를 자꾸 들여다보았다. 나 도올은 평생 팔목에 시계를 차지 않고 살았는데 달라이라마는 왼쪽 손목에 쇠줄의 네모난 시계를 차고 있었다. 자주빛 다체(drache)법복을 걸친 그의 우람찬 몸매에 달랑 감겨있는 시계줄의 모습은 정말 코믹했다. 그러나 그는 문명의 이기도 마다하지 않는 성자였다. 얼마나 바쁜 일정을 보내시면 저렇게 손목에 시계를 걸치고 사실까? 그러나 달라이라마는 나와의 대화를 계속하기를 원했다. 나는 말을 이었다.

"그런데 제가 불상에 관한 이러한 장황한 얘기를 하는 본 뜻은 우리 북전불교에서는 대승만이 불타의 참 가르침을 전하는 진짜 불교이고, 소승은 개인의 수양에 치우친 좀 수준 낮은 불교인 것처럼 생각하는 경향이 있는데 제가 이 불상의 문제와 관련하여 새롭게 발견한 사실은 소승의 비아이콘적인 태도야말로 불교의 본래정신의 구현이라는 것입니다. 대승불교는 불상을 도입하면서부터 엄청난 대중운동으로 발전·도약하는 데 결정적인 계기를 만들기는 했지만, 그러한 계기를 통해서 자멸의 길을 걸었다고도 말할 수 있습니다. 즉 불교의 진면목은 무신론이었는데, 불상을 도입하면서 오히려 유신론으로 전락해버렸다는 것입니다. 불상숭배를 중심으로 한 대승불교에 대한 일반재가신도들의 불교이해는, 하나님의 아들 예수를 믿고 천당에 가고자 하는 유일신관과 별 차이 없는 모습이 되고 말았다는 것입니다. 선승 단하(丹霞) 천연(天然, 739~824)은 법당에서 좌선하다가 궁둥이가 시려우니까 목불상을 도끼로 뽀개서 궁둥이 쬐는 불을 지폈지만,[121] 일반신도들의 불상에 대한 집착은 현실적으로 불타를 중심으로 한 일신교 사상이라 말해도 하등의 변명이 있을 수 없는 수준으로 불타를 유신론화 하고 있는 것입니다. 여기서 '대승비불설'(大乘非佛說)까지 등장하게 되는 것이죠. 그리고 이러한 대승불교의 부정적 측면이 인도민중에게 새로운 신앙운동을 촉발시켰고 이 신앙운동은 결국 시바나 비슈누신을 숭배하는 탄트리즘으로까지 발전하였고 이러한 탄트리즘이 불교로 역수입되어 밀교, 금강승을 탄생시킨 것이 아니겠습니까? 우리 조선에서는 티벧불교를 생각할 때, 너무 밀교 중심이래서 제식이 번거롭고 마치 다신론적인 신앙체계인 듯한 느낌을 가지고 있는 사람들이 많습니다."

이때 달라이라마는 단호한 어조로 나의 말을 가로막으면서 다음과 같이 말씀하셨다.

"탄트리즘(밀교)은 불교탄트리즘(Buddhist Tantrism)도 있지만 비불교탄트리즘(Non-Buddhist Tantrism)도 있습니다. 비불교탄트리즘의 대표적인 것이 힌두교의 다양한 탄트리즘 형태이겠지요. 그런데 우리가 알아야 할 것은 불교탄트리즘과 비불교탄트리즘을 구분짓는 확실한 근거가 있습니다. 그것은 지금 우리가 이야기한 반야공과 자비입니다. 반야공과 자비에 뿌리를 두지 않는 밀교는 밀교라 말할 수 없는 것입니다. 불교탄트리즘은 공을 전제로 하고 자비를 전제로 하기 때문에 결국 그것은 대승의 일부며 대승의 발전일 뿐입니다. 따라서 티벹의 밀교도 대승정신의 계승일 뿐입니다. 그렇게 기나긴 시간과 공을 들여 오색찬란하게 만든 만다라(曼荼羅, 曼陀羅, maṇḍala)도 완성되면 곧 후욱 바람에 날려버리고 말지요. 그것을 아까워 하는 것은 우리 티벹사람들이 아닙니다. 아무리 장엄한 만다라의 신(불 · 보살)의 세계라 할지라도 결국 공이라는 것이죠. 이 공의 깨달음을 무한한 자비로 확대시키는 것, 이것만이 티벹불교의 정수입니다."

이미 우리의 작별시간은 가까워 오고 있었다. 주변의 라크도르와 타클라는 더 이상 지체할 수 없다고 달라이라마를 재촉했다. 달라이라마는 라크도르 스님에게 항상 "카조다"라는 호칭으로 불렀다. "카조다"가 무슨 뜻인지는 몰라도 라크도르 스님의 애명같은 느낌이 들었다. 말이 막히거나 무슨 지시를 할 때마다 달라이라마는 "카조다"를 연발했다. "카조다"라는 말은 매우 현묘한 여운을 내 귀에 남기곤 했다. 그는 카조다에게 시간을 짜보라고 지시하는 것 같았다.[122] 원래 우리의 만남은 오늘 하루만의 길지 않은 시간으로 약정되어 있었던 것이다. 그런데 시간이 너무도 지체되었다. 그렇지만 달라이라마는 나와 대화를 계속하기를 원했다.

"실은 오늘 중요한 예식이 대탑에서 열리기로 예정되어 있습니다. 이제 나는 가봐야 합니다. 그런데 도올선생님은 아직도 할 얘기가 많으시죠? 우리 내일 다시 만납시다."

## 티벧의 침묵

나는 정말 기뻤다! 내일 또 시간을 내주시겠다니! 오늘 나의 대화가 결코 그에게 누가 되지는 않은 것 같았다. 나는 진심으로 그에게 감사하고 또 감사했다. 이 바쁜 중에 또 시간을 내어 주시다니!

"저는 도올선생님과 같은 분과 앉아서 대화하는 시간이 인생에 가장 보람 있는 순간들이라고 생각합니다. 저는 정말 많은 사람들과 대화를 나누어 보았지만 도올선생님처럼 그렇게 많은 분야에 정통한 지식을 가지고 있는 사람은 만나 뵙기가 참으로 어려웠습니다. 무슨 애기가 나와도 그것을 진지하게 풀어나가시는군요. 요번 보드가야의 일정은 너무 빡빡합니다. 내일 제가 특별히 시간을 만들어보겠습니다. 그러나 편안할 때 한번 다람살라에 오십시오.

다람살라에 오시면 언제고 제가 뵙고 싶습니다. 그곳에서는 보다 여유있게 이야기를 나눌 수 있으니까요."

그는 나의 친형처럼 친근하게 말씀해주셨다. 그리고 라크도르 스님에게 내일 아침 10시에 이 자리에서 나와 다시 만나는 스케쥴을 짤 것을 지시했다. 그러면서 그는 나보고 괜찮으면 같이 나가자고 했다. 예식이 두 시간 반 정도 걸리는데 내가 참여해도 상관없다는 것이었다. 나는 무심코 그의 뒤를 좇아나갔다. 아~ 그런데 이 순간이 나의 인생에서 영원히 잊을 수 없는 감격의 순간이 되리라고는 꿈에도 꿈에도 상상칠 못했다.

궁을 나섰을 때 나는 정말 놀랬다. 궁으로부터 보드가야의 대탑에 이르는 연도에는 수천수만의 티벹군중들이 달라이라마를 한번 뵙기 위해서 간절한 마음으로 두 손 모아 기다리고 있었던 것이 아닌가? 나는 그러한 뭇사람의 애틋한 기다림 속에서, 나와 달라이라마의 대화가 이어지고 있었다는 사실을 새카맣게 모르고 있었다. 그런데 나에게 충격을 준 것은 그토록 많은 사람들이 기다리고 있었다는 그 사실이 아니었다. 그것은 달라이라마와 내가 궁을 나서는 순간, 그 순간에 전개된 군중들의 모습이었던 것이다. 달라이라마가 나타나는 순간, 연도에 기다리고 있던 수천수만의 군중들이 더 가까이 그를 보기 위해 웅성거리며 도폭을 좁히며 밀려들 것이라고 나는 예상했다. 연변에는 인도경찰들이 주욱 나라비를 서서 경호를 맡고 있었다. 그러나 연변을 가득 메운 군중들의 모습들은 전혀 나의 예상을 뒤엎고 말았다. 갑자기 온 거리가 정적에 휩싸였다. 영화의 매우 바이올런트한 장면의 극도에서 뮤트로 슬로우 모션이 지나가는 그런 상황이 있다. 펠리니의 『8½』의 첫 장면을 연상해도 좋다. 달라이라마가 나서는 순간 갑자기 온 세계가 너무도 조용해진 것이다. 미동의 소리도 없었다. 그러나 그 순간 티벹의 군중들은 두 손을 모아 영롱한 눈빛으로 달라이라마를 쳐다보며 눈물을 흘리고 있었던 것이다. 그들은 달라이라마를 육안으로 쳐다보는 그 감격을 가슴으로, 눈빛으로만 표현했다. 너무도 격렬한 감동의 움직임이 고요한 자태로 표현되고 있는 그 역설! 침묵 이상의 웅변은 없었다. 주름진 할머니의 얼굴, 알록달록 티벹문양의 치마를 두른 아낙들, 문둥이 곱은 손을 정성스럽게 모으고 있는 사람들, 합장한 손이 땅에 닿도록 허리를 굽히고 있는 사람들, 이 모든 사람들이 아마도 근대사의 과정에서 죽창에 찔리고 총개머리에 터지고 성벽에서 굴러 떨어지고 인민군 탱크에 밟혀 비명에 간 가족의 상흔을 지니고 있지 않은 사람은 없을 것이다. 두 손 모은 초롱초롱한 눈빛이 한 몸에 쏟아지는 그 침묵의 간망(懇望)을 나는 한몸으로 달라이라마의 곁에서 느낄 수 있었던 것이다. 달라이라마는 그들의 군주였고, 다르마의 구현체였다. 그는 21세기 벽두에 우뚝 서있는 왕이었다. 그러나 그는 너무도 진실하고 소박한 한 인간이었다. 나는 이 엄청난 열망의 장 속에서 기묘한 에너지를 소리없이 느끼고 있었다. 그 침묵의 아롱진 눈망울들을 쳐다보며 가슴속 깊은 곳으로부터 우러나오는 비애와 환희의 눈물을 왈칵 쏟지 않을 수 없었다. 나는 그렇게 달라이라마와 함께 연도를 걸어갔다.

달라이라마는 먼저 대탑 속 정중앙에 안치되어 있는 항마인 모습의 금동불상에 절하는 예식을 했다. 나도 따라 했다. 그리고 달라이라마는 금강보좌 앞에 마련된 제단 위에 올라 앉았다. 그리고 나보고도 그 옆으로 라크도르 스님과 함께 자리를 마련해주시면서 앉으라 했다. 그 뒤로 천여 명의 티벹승려들이 장엄한 모습으로 착석해 있었다. 범어사 승려들의 눈 깜박이는 소리가 소나기 소리 같더라는 항간의 코믹한 이야기가 생각이 날 정도였다. 우렁찬 독송이 시작되었다. 2시간을 꼬박 천여 명이 제창으로 암송하는 독경소리는 정말 나에게는 특별한 체험이었다. 달라이라마께

서는 중간에 힐끗힐끗 나를 쳐다보시면서 개구장이처럼 웃곤 하셨다. 여러 제식이 사이사이 끼어 있었지만 그 제식과 주문을 전체적으로 잘 살펴본즉, 영신(迎神)-오신(娛神)-송신(送神)이라는 우리 예식의 디프스트럭쳐와 같은 내용이었다. 여기서 청하는 것은 붓다의 오심이었다. 그리고 붓다 앞에서 신(身)·구(口)·의(意)의 삼업을 씻는 물의 제식을 챈팅으로 행하였다. 이 제문은 달라이라마 당신께서 20년 전에 여러 경에서 조합하여 간략하게 만드신 것이라 했다. 제식이 끝난 후 제단에 바친 음식을 모두에게 골고루 나누어주었다. 그리고 우리는 다시 궁으로 돌아왔다. 궁 앞에 이르렀을 때 그는 갑자기 나에게 손짓을 하면서, "밍티엔찌엔!"(明天見)이라고 죠크를 했다. 아주 정확한 중국발음이었다. 그는 내가 중국말을 잘 알아듣는다는 것을 알고 있었던 것이다. 정말 재치가 넘치는 분이었다.

나는 간단히 식사를 마치고 수자타호텔 209호실로 들어갔다. 수자타호텔 리셉셔니스트가 내가 딴 호텔에서 자는 것을 눈치채고, 남향의 좋은 수트룸을 주었던 것이다. 안온한 느낌이 드는 쾌적한 방이었다. 나는 이날 밤 꼼짝 않고 침대에 누워있기로 했다. 나는 두 손을 쫙 벌리고 십자가에 못박힌 예수의 형상으로 침대 위에 벌컥 드러누웠다. 그리고 다음과 같이 외쳤다.

***我也悉達!***

나 또한 다 이루었다!는 뜻이다.[123] 순간 나의 기나긴 반백년의 인생이 주마등처럼 지나갔다. 아무 이유없이 눈물이 쏟아졌다. 왜 이토록 치열하게 나는 살아야 하는 것일까? 머나먼 옛날, 엄마와 남산 수도산에 원족가던 일, 눈들 방죽에서 아이들과 빨개벗고 툼벙치던 일, 서울역에서 내려서 시발택시들이 가득 찬 광장에서 남대문의 장관을 휘둥그레 쳐다보던 일, 대학시험에 낙방하여 찔찔 눈물을 흘리던 일, 첫 아기 승중이의 탄생을 타이뻬이에서 국제전화로 듣고 기뻐하던 일, 동경대학에서 내가 출국한다고 일곱 분의 교수님들이 나 한사람을 위해 아카몬(赤門) 앞 회식집에서 센베쯔카이(餞別會)를 열어주셨던 일, 귀국할 때 노석학 벤자민 슈왈쯔 선생님께서 훈계하시던 모습, 안암캠퍼스 학생들과 최루탄 맞으면서 같이 데모했던 일, 고려대학교의 마지막 수업, 서관 314강의실에서 떨리는 목소리로 양심선언문을 낭독하던 일, …이 모든 영상들이 순간에 똑똑 침상 위로 떨어지는 눈물들과 함께 스르르르 지나갔다. EBS의 노자강의, KBS의 논어이야기의 감격, 성균관대학에서의 마지막 논어강의, 출국, 맨하탄의 3개월, 인도기행!

우리 엄마는 원래 개화에 뜻이 있는 여성이었다. 옛날에 우리 외할아버지보고 양코배기 선교사님께서 우리 엄마를 달라고 졸랐다고 한다. 우리 엄마는 중매결혼 때문에 이화여전을 중퇴하고 말았지만 외할아버지가 자기를 선교사한테 안 넘겨준 것을 매우 회한스럽게 생각했다. 우리 엄마는 아마 그때 선교사들의 도움을 얻어 도미했더라면 김활란박사처럼 됐을 꺼라고 했다. 우리 엄마는 김활란박사를 매우 부럽게 생각했다. 그런데 외할아버지께서는 인척을 통해 우연히 알게 된 휘문고보 학생에게 딸을 일찍 시집보냈던 것이다. 지독하게 보수적인 사대부가문이었다. 나의 친할아버지는 소실이 열둘이나 있었다. 우리 엄마는 열두 소실이 있는 곳에서 시집살이를 했다. 그러면서 다짐하고 또 다짐했다고 한다. 개화의 뜻은 꺾였지만 내 자식을 많이 낳아 훌륭하게 키우리라! 그들로 하여금 이 민족의 지도자가 되게 하리라! 우리 엄마는 정말 정성스럽게 자식들을 회초리로 키웠다. 아들 넷을 낳았고 딸 둘을 낳았다. 그 막내가 도올 김용옥이다. 마흔이 넘어 낳은 나는 엄청난 난산이었다고 했다. 기계로 뽑아냈는데 그때 기계에 눌린 눈이 지금도 침침하게 안 보인다. 그리고 거의 사체에 가까운 지경이라 차거운 윗목에 내버려두었다고 했다. 그런데 얼마 있다가 꼼지락거리더니 살아났다고 했다. 나는 갓난 아기시절부터 죽었다가 부활했던 것이다.

엄마는 나를 키우면서 항상 이와 같이 말씀하셨다: "너는 이 땅의 젊은이들을 바르게 키우는 사람이 되어야 한다." 내가 어렸을 때부터 엄마는 이렇게 말씀하셨던 것이다. 내가 크면 젊은이들을 바르게 교육시킬 수 있는 그런 사람이 될 수 있을까? 이것이 항상 나의 생애의 의문이었다.

그 어머니가 구순을 넘으셔서 아직도 살아 계시다. 과연 내가 우리 엄마가 기대했던 그런 사람이 되었는지조차도 알 수가 없다.

물론 우리 엄마한테 그런 말 한번도 물어보지는 못했다. 그런데 이상하게 나는 우리사회에서 무지하게 욕을 얻어먹는다. 대한민국의 지식인으로서 나만큼 욕을 얻어먹는 놈이 없다. 지식인이 얻어먹어야 할 욕은 내가 다 얻어먹는 느낌이다. 내가 그렇게도 나쁜 놈일까? 내가 한번 이 사회에 나가 입을 뻥끗했다 하면 다 날 죽이려고 한다. 칭찬하고 싶은 사람은 입을 다물 뿐이고, 입을 여는 사람은 모두 나를 증오한다. 정말 증오한다. KBS논어강의도 그렇게 좋은 강의였는데 왜 그렇게 모든 신문이 아무 이유없이 날 죽이려 했는지 도무지 알 수가 없다. 왜 정신이 바르게 든 총명한 이 땅의 젊은이들, 엘리트 기자님들이 날 그토록 죽이려고 씹어대야만 했는지 도무지 도무지 알 길이 없었다.

나의 인생의 역정은 대강 이러하다. 많은 사람들이 나에게 도움을 청한다. 그럼 나는 도움을 준다. 그런데 도움을 받고 나면 그들은 그 도움에 대한 나의 공이 사회적으로 인정되는 것을 무지하게 두려워한다. 그래서 나보고 좀 빠지라고 그런다. 그럼 난 좀 배신감을 느끼지만 빠져버린다. 그런데 또 빠지고 나면 또 빠졌다고 욕한다. 그래서 난 이래서 욕먹고 저래서 욕먹는다. 이렇게 산 것이 이제 나도 환갑을 바라보는 나이가 되어가고 있는 것이다.

그런데 오늘 달라이라마의 대화 속에서는 나는 이러한 나의 불미스러운 인생의 추억의 한 찌꺼기도 발견하지 못했다. 너무도 순결한 감정의 오감이었다. 내가 그와 주고받은 것은 지식의 체계가 아니었다. 순결한 영혼이 오간 것이다. 그것이 중요했다. 나는 내 인생에서 처음으로 몸이 깃털처럼 가벼워지는 것을 느꼈다. 그 날 밤, 그 느낌대로 나는 살포시 잠들었다. 내가 눈을 떴을 때는 이미 해가 중천에 떠있었다. 나는 예정된 시간에 다시 대화의 자리에 착석했다. 다짜고짜 우리는 다시 대화로 몰입하고 있었다.

# 불교는 심리학인가?

"어제 말씀 중에서 기독교는 사건중심이고 불교는 법중심이라고 하셨는데, 그 법이 무엇이라고 생각하십니까?"

"연기(산스크리트어: pratītya-samutpāda, 팔리어: paṭicca-samuppāda) 입니다."

나는 이 한마디에 온 전신에 전율이 감도는 것을 느꼈다. 그의 대답은 너무도 간결했고, 내가 원시불교에 관하여 깨달은 총체적 결론을 한마디로 요약하고 있었기 때문이었다. 역시 그는 대스승이었다.

"연기란 무엇입니까?"

“연기(Dependent Arising)란 모든 것이 서로 의존하여(paṭicca) 함께(sam) 일어난다(uppāda)는 뜻입니다. 즉 이 우주의 어떠한 이벤트도 절대적인 독립성을 갖는 것은 있을 수 없다는 이야기입니다.”

“그렇다면 연기를 인과(causation)라는 말로 바꾸어도 되겠습니까?”

“상관 없습니다.”

“이 우주의 모든 사태는, 정신적인 것이든, 물질적인 것이든 모두 시간과 공간 안에서 다 일어나는 것이겠군요.”

“그렇습니다.”

“시공간 밖에서 일어나는 사태는 연기론에서는 인정이 안됩니까?”

“인정될 수 없습니다.”

“공간적인 동시적 인과는 있을 수 없습니까?”

“있을 수 없겠지요.”

"그렇다면 티벧스님들이 동시적으로 다른 장소에서 일어났던 일을 영매를 통해 보고왔다든가 하는 것은 무슨 일입니까?"

"저는 그런 신비스러운 일은 잘 모릅니다만, 그런 것이 사실이라고 한다해도 반드시 혼이 왔다 갔다 하는 시간은 걸릴 것입니다. 다시 말해서 공간적으로 격절되어 있는 두 개의 사태가 인과관계를 가지려면 반드시 그 사태는 시간적으로 연결될 수밖에 없다는 것입니다. 최소한 빛으로 연결될 수 있는 시간이라도 필요합니다. 북극성에서 일어난 일이 지구에 영향을 미치려면 적어도 1,000년의 시간이 필요합니다. 그 시간차이가 500년 밖에 안된다면 인과관계는 성립할 수 없겠지요. 그러기 때문에 모든 연기의 사태는 시·공간을 동시에 요구하는 것입니다."

"연기는 과학입니까?"

"그렇습니다. 불교는 과학입니다."

달라이라마는 계속해서 서슴없이 이야기했다. 그는 과학에 대해 깊은 생각이 있었다. 나는 계속 물었다.

"불교는 마음의 과학입니까?"

"그렇습니다."

"그렇다면, 불교는 심리학(Psychology)이라고 해도 좋겠군요."

"심리학이라 말못할 것이 아무 것도 없지요. 요즈음의 얄팍한 행동과학적 심리학에다가 그 개념을 국한시키지 않는 한 말이죠. 불교는 심리학입니다."

# 비그뱅, 절대적 진리는 없다

달라이라마의 어조는 단호했고 간결했다. 어제 단 하루의 만남이었지만 우리는 그 만남을 통하여 서로에게 깊은 신뢰감을 주고받았다. 사실 그가 내뱉고 있는 말들은 거대한 종교계의 현실적 지도자로서는 몸을 좀 사려야할 그런 말일 수도 있다. 그러나 그런 어마어마한 말들을 그는 거침없이 내뱉었다. 나는 그의 그러한 정직한 태도가 너무도 좋았다. 어느 샌가 나는 그의 한 친구로서, 제자로서 한없는 경복의 마음을 가지게 되었다. 그는 무엇보다도 진실한 인간이었다. 나는 그의 과학에 대한 생각을 집요하게 파고들어갔다.

“비그 뱅(Big Bang)은 어떻게 생각하십니까? 연기론에 위배되는 것이 아닙니까? 원인이 없이 시작되는 사건이니까요.”

"비그뱅이라는 사건을 단순히 원인없는 결과로 볼 때에는 연기론에 위배됩니다. 그리고 비그뱅이라는 이론 속에 숨어있는 형이상학적 가설도 항상 검증의 대상이 되어야겠지요. 그러나 비그뱅은 우리가 살고 있는 우주의 시작이라는 상식적 이벤트가 아니라, 가장 근원적인 문제, 우리가 목격하는 모든 현상의 기저인 시간과 공간 그 자체가 그로부터 생겨났다는 이야기이므로 그것은 연기론적 논의를 벗어난다고 하겠습니다. 다시 말해서 우리의 연기론적 논의는 모두 시공간내에서 일어나는 사건에 관한 논의입니다."

"비그뱅이전에 우리가 상상할 수도 없는 다른 차원의 우주가 있었고, 그 우주의 결과로서 비그뱅이 태어났다고 하면 어떻겠습니까?"

"불교에서 말하는 끊임없는 억겁년의 순환구조를 말하면 그런 얘기는 얼마든지 가능할 수 있겠지만 중요한 것은 우리가 생각할 수 있는 시공간의 세계이전에 어떠한 세계가 있었다 할지라도 이미 그것은 인과적 관계로서 연결될 수는 없다는 주장이 비그뱅이론의 특성입니다. 그러니까 연기적 세계는 현실적으로 우리가 살고있는 시공간내에서 우리가 유추(reasoning)할 수 있는 사태와 관련되어 있는 것입니다."

달라이라마의 물리학적 세계관에 관한 인식은 매우 정확했다.

사계의 많은 훌륭한 학자들과의 토론을 통해서 얻은 통찰일 것이다. 나는 말을 계속했다.

"우리가 상정하고 있는 우주는 계속 변화하고 있으므로, 그 변화의 거대한 방향성을 결정짓는 사태들로부터 비그뱅이론은 유추된 것입니다. 그러니까 아인슈타인의 상대성이론이 우주는 계속 팽창하고 있다는 가설을 제시했다면 이미 비그뱅이론은 그 가설 속에 내포되어 있었다고도 말할 수 있는 것입니다. 그러니까 비그뱅이론의 타당성은 현재 우리가 우주로부터 관찰하는 사태로부터 유추된 가설체계로서의 타당성일 뿐이며, 또 그것이 현실적으로 많은 다른 우주의 현상들을 설명하는 데 도움을 주기 때문에 타당한 가설일 뿐이라는 것입니다. 그러니까 이러한 현실적인 타당성이나 유용성의 체계가 바뀔 때에는 비그뱅가설 자체에도 불가피한 변화가 일어난다는 것입니다. 그러니까 과학적 진리도 구극적으로는 상대적 진리일 뿐입니다. 성하께서는 절대적 진리가 있다고 생각하지 않으십니까?"

"절대적 진리는 없습니다."

나는 또 한번 그의 단도직입적인 언변에 놀라지 않을 수 없었다. 나는 다시 한번 확인하였다.

"정말 절대적 진리란 없는 것입니까?"

"절대적 진리는 없습니다. 물론 불경에 보며는 절대적이고 영원한 진리, 이따위 말들로 가득차 있습니다. 그런데 이런 말들을 사람들이 매우 잘못 이해하고 있는 것입니다. 불타의 깨달음이 연기인 한에 있어서 절대적인 진리라는 것은 있을 수가 없는 것입니다. 우리가 영어로 '앱솔루트 트루쓰'(Absolute Truth)라고 말할 때 이미 우리는 그 말이 지닌 역사적 인식의 포로가 되어버린다는 것입니다. 마치 절대적 진리가 없으면 살 수 없는 것처럼, 그리고 이 우주에는 절대적인 그 무엇이 꼭 있어야만 하는 것처럼 생각하는 어떤 공포감이나 중압감의 포로가 되어버린다는 것입니다. 이것이 기독교의 유일신론적 사유가 지어낸 서구적 발상의 일대 오류라고 생각합니다. 어저께 말씀하신 그노시스(Gnosis)에

대해서도 곰곰이 생각해보았습니다만, 그러한 영지주의 발상의 배면에도 거대한 착각이 깔려 있는 것입니다. 이 우주에는 절대적 진리가 있으며 그 절대적 진리를 매개하는 절대적 지식이 있다. 이 절대적 지식 즉 그노시스(영지)를 얻기만 하면 우주의 모든 신비를 풀 수 있는 열쇠를 얻을 수 있다. 이런 따위의 사유는 이미 절대적 진리나 절대적 지식을 실체화하고 있다는 것입니다. 이러한 류의 절대론이 모든 신비주의의 함정입니다. 이것이 서구 신비주의의 한계이지요.

도대체 '절대적 진리'라는 말 자체를 곰곰이 생각해보지도 않고 그냥 절대적이라는 말을 우상화해버린다는 것입니다. 도대체 어떻게 진리라는 것이 모든 상대적 관계를 단절시키는 절대독립적인 실체일 수가 있습니까? 이것은 저에게는 설일체유부의 삼세실유론(三世實有論)을 연상시키지만, 바로 나가르쥬나의 공론은 이러한 사유를 부정하는 것으로부터 출발하는 것입니다. 우리의 삶 자체가 하나의 찰나일 뿐인데, 이 잠깐동안의 삶에 있어도 뭐 그다지도 애타게 절대에 집착을 해야만 한단 말입니까? 『대반열반경』에 나오는 석가여래의 마지막 말씀이 무엇이었습니까? 변하지 않는 것은 아무 것도 없다, 이 한마디가 그의 전 생애를 마감하는 최후의 일성이었습니다.[124)]

불교에 있어서 구태여 절대적 진리를 말하자면 '공'(śūnya)이라는 한마디 밖에는 없습니다. 그러나 공이라는 것을 또 하나의 절대적 실체로 생각하면 그것은 공이 아닌 것입니다."

"그렇다면 불교는 현상적 일원론입니까?"

"물론입니다. 모든 일원론은 현상론일 수밖에 없습니다. 서양철학의 한계는 애초로부터 현상 그 자체를 무시하고 들어간다는데 있습니다. 이것 또한 기독교와 관련된 사유체계가 파생시킨 뿌리깊은 오류이지요. 다시 말해서 우리가 살고 있는 현상은 허깨비 같은 것이며 가치 없는 것이다, 이러한 현상에 대한 뿌리깊은 경시가 모든 오류를 파생시키고 있는 것입니다. 우리는 현상 그 자체의 이해를 심도있게 해야하는 것입니다. 유식론도 결국은 현상의 심도 깊은 이해방식이라 말할 수 있는 것입니다. 일원론은 현상적 일원론밖에는 성립할 수가 없습니다. 본체론적 일원론이라는 것은 도무지 성립불가능한 것입니다. 본체론적 일원론, 본질적 일원론은 또 다시 이원론으로 환원되지 않을 수 없는 것입니다. 불교의 핵심은 '아드바야'(advaya), 즉 '불이'(不二)입니다."

참으로 명쾌한 답변이었다. 나는 계속해서 물었다.

"중론적 세계관(Mādhyamika world-view)을 깔고 말씀하시는 것 같은데, 그렇다면 불교의 연기론적 세계관은 고전물리학적 세계관에 더 가까울까요? 현대물리학적 세계관에 더 가까울까요?"

"모든 사태에는 정확한 인과관계가 성립하는 시공간적인 장이 있다고 말하는 측면에서는 거시적인 맥락에서 고전물리학과 상통합니다. 그러나 모든 사태가 실체적으로 파악될 수 없으며 관계론적 기멸(起滅)에 불과하다는 측면에서는 현대물리학과 상통합니다. 퀀텀 물리학자들이 불교에 친근감을 느끼는 것도 아마 이런 연유때문이겠지요."

나는 그의 말을 다음과 같이 매듭지었다.

"아인슈타인의 상대성이론조차도 고전물리학에 속합니다. 신은 주사위를 던지지 않는다라는 아인슈타인의 유명한 말은 그의 고전물리학적 사유를 대변한다 할 것입니다. 아인슈타인은 고전물리학의 시간과 공간의 개념은 바꾸었지만 물리현상의 기술방식을 바꾸지는 않았습니다. 힘이니 운동이니 가속도니 하는 그러한 기본개념장치를 바꾸지 않았다는 것입니다. 그러나 양자역학에 오면 위치와 속도 그 자체가 불확정적이 되어버리는 것입니다. 물체에 대한 이해자체가 파동함수의 기술로 바뀌게 된 것이죠. 아마도 불교적 사유는 이러한 불확정적 세계관에 더 가깝게 올 것 같습니다. 궁극적으로 비존재는 없지만 실체는 존재하지 않습니다. 그것이 공입니다."

## 티벧과 중국의 미래

그리고 나는 최근에 나의 EBS 노자강의에서 21세기의 인류의 당면과제로 제시한 세 가지 문제를 거론하면서 다시 과학의 주제를 접근해 들어갔다.

"저는 최근 우리 한국사람들을 위한 테레비강의에서 21세기 인류가 당면한 과제로서 세 가지를 들었습니다. 그 첫째가 인간과 자연환경의 화해고, 그 둘째가 지식과 삶의 화해고, 그 셋째가 종교와 종교간의 화해였습니다.[125] 그런데 세번째 주제는 이미 우리가 어제 심도있게 토론한 것입니다. 그러나, 이 인간과 환경의 문제, 그리고 인간의 지식이 인간의 삶으로부터 유리되어 있을 뿐 아니라, 인간의 지식이 과도하게 인간의 삶의 본연을 제어하고 있는 상황, 이런 것들은 모두 과학이라고 하는 세계사적 주제와 관련이 있습니다. 과학의 발전이 인간을 자연을 파괴하는 정복자의 모습으로 만들고, 인간의 지식이 삶의 본연 위에 군림하는 엉뚱한 결과를 자아내고 있는 것입니다. 그러니까 우리가 종교적 진리를 생각할 때에 있어서도 너무 지나치게 과학에만 의존해서 생각할 수는 없는 것이 아닙니까?"

"그렇지만은 않습니다. 그것은 우리가 과학을 어떻게 이해하느냐 하는 문제와 관련된 것입니다. 대체적으로 말해서 19세기부터 20세기 전반까지의 과학의 대체적 동향은 말씀하신 대로 자연을 정복의 대상으로만 파악했으며, 인류문명의 증진을 위하여 개발되고 파괴되어야 할 대상으로 파악했습니다. 즉 자연에 대한 인간의 우월성을 의심할 바 없는 것으로 받아들였고, 인간이 자연과 조화됨으로써만이 살 수 있는 존재라고 하는 인간과 문명의 한계상황을 깊게 인식하지 못했습니다. 그리고 인류는 과학과 기술(science and technology)의 진보가 인간의 모든 문제를 해결해주리라는 지나친 신뢰를 가지고 있었던 것입니다. 그러나 20세기 후반에 접어들면서부터 과학의 이러한 태도가 커다란 변화를 일으키기 시작했습니다. 인류는 과학과 기술의 진보에 대한 한계를 자각하기 시작했으며, 과학 자체도 인간문명의 물질적 충족만이 지상의 과제가 아니라고 하는 새로운 방향성을 획득하기 시작했습니다. 그리고 과학 자체가 직선적 진보사관의 한계를 인식하기 시작했으며, 자연의 불확정적 제상황을 고려하기 시작했습니다. 그리고 물질적 세계에 대한 관심만이 과학의 대상이 아니며 정신적 세계에 대한 새로운 탐구도 물질과 더불어 이루어져야 한다는 생각을 갖게 된 것입니다. 그리고 물질 자체가 궁극적으로 인간과 독립해서 고독하게 존재하는 것이 아니라고 하는 새로운 인식론적 상황을 발견하게 된 것입니다. 어쩌면 현대첨단과학에서는 물질 자체가 정신화(spiritualized) 되어가고 있는지도 모릅니다. 그리고 인간은 궁극적으로 자연에 군림하는 오만한 존재가 아니라 자연과 타협할 수밖에 없는 존재라는 인식이 새롭게 태동한 것입니다. 그러므로 제가 생각하기에는 인류가 이제 과학과 기술문명이라고 하는 충격을 통과하면서 성숙한 단계로 진입했다고 생각하는 것입니다. 어제 우리가 과학과 불교를 이야기할 수 있었던 것도 바로 이러한 분위기를 배경으로 해서만 가능했던 것입니다."

"그러나 우리의 문제는 그러한 성숙한 과학인식이 문명의 현실태를 장악하지 못하고 있다는 사실로부터 출발하는 것입니다."

"그렇습니다. 특히 문제는 과학을 생산한 서양에서 심각하다기보다는 과학문명을 흡수하면서 뒤따라가는 개발도상국가의 경우 더 심각하게 나타나고 있는 것입니다. 서양에서 이미 20세기 전반의 과학에서 20세기 후반의 과학으로 전환이 일어나지 않을 수 없었던 이유는 과학과 기술의 진보가 인간세에 바람직하지 못한 많은 현상들을 야기시켰기 때문입니다. 인간소외, 범죄, 이기주의, 도덕의 해이, 물질적 풍요 속에 퇴락되는 인간의 가치, 소박한 심미성의 상실, 이러한 비극적 상황들을 뼈저리게 체험하고 있는 것입니다. 이러한 비극을 체험한 서양인들은 때로 동양에서 지혜를 구하려고 하지만, 이미 동양은 그들의 비극을 이제 반복하기 위해 총력을 기울이고 있는 아이러니의 상태에 있는 것입니다. 그들이 구루(guru)라고 찾은 동양인이 때로는 본질적으로 그들보다 더 타락한 물질주의자일 경우가 많습니다. 그러므로 우리 동양인(반드시 지역적인 개념으로 쓰고있는 말은 아님)들은 서양의 위기상황을 앞서 파악할 줄 아는 지혜가 필요합니다."

"서양의 제국주의는 그러한 후진국가들의 주체적 인식이나 행동을 허용하질 않습니다."

"물론이지요. 그러나 그러한 현상적 상황을 감안한다 하더라도, 아시아의 제국들은 점차 그러한 한계상황을 감지할 때까지 죽으라고 개발은 하겠지만, 결국은 그 한계를 깨닫게 되겠지요."

"그러나 그러한 식의 한계상황인식은 비극입니다. 이미 때가 늦으니까요. 그전에 인류의 파멸이 올 수도 있습니다."

"그렇습니다. 그러기 때문에 전통적 가치와 근대과학적 가치 사이에 어떤 방식으로든지 현명한 타협점을 발견해야 합니다. 그러한 타협점을 발견하지 못하는 문명은 생존이 어려울 수도 있습니다."

달라이라마는 어떠한 문제에 오든지 포괄적인 세계사인식을 가지고 정확하게 대처했다. 그는 문명첨단의 모든 문제상황을 잘 이해하고 있었던 것이다.

"저는 티벹의 문제를 매우 가슴아프게 생각하는 사람입니다. 지금 성하께서 지적하신 그 타협의 문제와 관련하여 티벹이야말로 이상적인 어떤 인류문명의 기준을 제시할 수 있는 가능성이 농후한 문명이었습니다. 인간과 자연이 공존하며, 지식과 삶이 화해하며, 모든 종교적 신념이 관용되며, 전통적 가치가 서구적 물질문명 앞에 일방적으로 무릎을 꿇지만은 않는 그러한 인류문명의 본보기로서 존속될 가치가 있는 문명이었습니다. 그런데 이렇게 소중한 독자적 문명을 강압적인 수단에 의해 일방적으로 파괴하고 서구문명의 모든 병폐의 쓰레기더미로 만들어버리는 중국정부의 소행은 인류의 공동의 미래를 위하여, 그리고 중국자신의 미래를 위하여 결코 바람직한 것이 아닙니다."

"지난달에 저는 홍콩에서 활약하고 있는 어느 중국학자와 이런 문제에 관해 깊은 토론을 했습니다. 그는 중국이 당면하고 있는 문제를 다음의 세 방면으로 나누어 고찰했습니다. 첫째는 경제문제입니다. 어찌되었든 중국은 지금 경제발전을 지고의 목표로 삼고 매진하고 있습니다. 그래서 시장경제(market-oriented economy)를 도입했고, 또 공산치하에서 이룩한 경제적 토대를 활용하여 그런 대로 새로운 시대에 잘 적응해나가고 있다고 생각됩니다. 과거의 리지드한 경제상황에 변화가 일어나고 있는 것이죠. 둘째는 정치적 상황입니다. 공산당정권은 경제적 문제와는 달리 정치적 문제에 있어서는 매우 보수적인 태도를 견지하고 있으며 보다 개방적인 정치체제를 허용하는 것을 매우 두려워하고 있습니다. 그들의 파우어의 기반이 흔들리는 것을 감당키 어려운 것이지요. 그러나 거시적으로 보면 이러한 정치적 상황도 분명히 개선될 것입니다. 보다 개방적인 정치체제로 서서히 이행해 나가지 않을 수 없을 것입니다.

그런데 중국의 진정한 문제는 세 번째 방면에 있습니다. 그것은 도덕방면이며 문화방면입니다. 그것은 중국문명의 총체적 위기상황(cultural crisis)을 의미하는 것입니다. 즉 중국공산당은 1949년 10월 1일 페킹에 인민정부를 수립한 이래 맑시스트 이데올로기에 대한 완벽한 믿음의 기초 위에서 완벽하게 새로운 사회를 건설하겠다는 신념에 불타있었습니다. 이러한 중국적 신념을 마오이즘이라 불러도 좋고 맑스레니니즘 혹은 콤뮤니즘이라 불러도 상관없습니다. 이들은 이러한 공산주의 신념 때문에 자신들이 지녀왔던 모든 전통적 가치는 신중국을 건설하는 데 모조리 방해가 될 뿐이라는 성급한 판단을 실행에 옮겼던 것입니다. 더 이상 유교적 · 불교적 · 도교적 가치가 새로운 사회건설을 위하여서는 타당성이 없다고(irrelevant) 판단했던 것입니다. 그래서 그들은 지난 50여 년 동안 새로운 중국의 인민들에게 계급투쟁만을 가르쳤고, 전통적 가치의 타도를 가르쳤습니다. 그들이 가르친 것은 '증오'

(hatred)였습니다. 전통적 '인'(仁)의 가치, 서로의 인간성을 존중할 줄 알며, 또 약한 자를 도와줄 줄 아는 마음씨, 온유와 사랑, 양보와 희생, 이런 것들이 갑자기 무용지물이 되고 악이 되어버린 것입니다. 우리가 홍위병과 같은 어린애들 장난의 파괴적 광대짓을 보면 얼마나 그 가치전도가 심각한 수준에 이르렀었는지를 알 수가 있는 것입니다. 그런데 문제는 이러한 중국의 노력의 결과로 공산주의가 소기하는 바 '무계급의 평등사회'(classless equal society)가 도래했다고 한다면, 그러한 가치전도조차도 그 나름대로의 역사적 효용성을 인정받을 수 있을지도 모릅니다. 그런데 아시다시피, 이 지구상의 공산주의의 모든 실험, 무계급사회의 건설은 하나의 춘몽이었다는 사실이 너무도 여실하게 입증되었습니다. 그들은 꿈을 꾸고 있었던 것입니다. 실현될 수 없는 목표를 실현시킬려고 너무 무리한 짓들을 한 것입니다. 그들의 이데올로기의 목표 그 자체가 현실성이 없는 것이라면 그 이데올로기의 정당성 그 자체가 의미를 상실하게 되는 것입니다.

사회주의 이데올로기가 진보주의의 기준처럼 생각되었던 시절에는 '자유'라는 가치는 서구제국주의에 복무하는 비열한 사치·태만인 것처럼 간주되어 왔지만, 사실 아시아제국에 있어서 '자유'라는 가치의 최대의 의미는 저는 전통문화의 보존과 그 사회가 가지고 있는 장점을 어떻게 살려나가느냐 하는 문제와 관련된 창조적 혼돈이라고 생각합니다. 중국은 여태까지 그러한 창조적 혼돈이 허용되지 않는 50여년 반세기의 세월을 살아왔기 때문에 생긴 정신적 공백을 메꿀 길이 없습니다. 경제적 발전과 정치적 상황이 개선되면 개선될수록 도덕적 상황은 악화될 수 있다는 것입니다. 그러한 정신적 공백 때문에 범죄, 마약, 이기주의, 물질만능주의, 관료들의 부패, 도덕적 해이, 이러한 문화의 총체적 위기상황에 직면하게 되는 것입니다.

나도 한때는 신중국 건설의 박력있는 모습을 관람하고 무엇인가 새로운 역사의 방향이 생겨나고 있다고 판단했습니다. 어떻게 하면 티벧국민의 미래를 위하여 부디즘과 맑시즘을 창조적으로 결합할 수 있는가 하는 고민까지도 심각하게 해보았습니다. 불교는 공산주의 이념을 배타할 필요는 없으니까요. 인간의 평등이나 신이 없는 세속적 가치에 대한 새로운 해석이 가능할 수도 있으니까요. 그러나 이러한 것들이 모두 한 시대의 유물로 전락하고 말았습니다. 이미 지나가버린 폐허의 황량한 모습이 되어버리고 말았습니다. 맑시즘의 종언은 곧 서구적 계몽주의의 낙관론의 종언을 의미합니다. 이제 우리가 살아가야 할 세계는 더 이상 계몽주의적 가치의 일방적 우세를 허용하지 않습니다. 서방과학문명의 강점을 인정한다 할지라도 우리는 이러한 강점과 우리문명의 전통적 가치의 강점을 창조적으로 결합하는 새로운 작업을 해야하는 것입니다. 이 새로운 작업의 진정한 바탕은 자유입니다. 중국과 같이 자유가 없는 곳에서는 그러한 작업이 불가능합니다. 자기자신의 파멸도 부족해서 티벧문화까지 근원적으로 파멸로 몰아가려는 그들의 태도는 정말 인류의 비극이요 인간의 비극입니다."

"아시아 역사에 있어서 정치적 리더십의 도덕성 그 자체도 항상 문제가 되겠지요."

"그렇습니다. 아시아역사의 현실적 대세는, 비록 그것에 대한 정확한 가치판단을 유보한다 할지라도, 그 나름대로의 필연성이 있는 것입니다. 즉 아시아의 인민들은 힘이 없었고 배가 고팠던 것입니다. 그래서 근대화·서구화라는 문제를 받아들이지 않을 수 없었던 것입니다. 그러나 인간은 빵으로만 살 수는 없는 것입니다. 인간은 자기 삶의 존재이유에 대한 정신적 가치가 충족되어야만 사는 보람을 느낄 수 있는 존재입니다. 이러한 정신적 가치를 정치적 리더들이 제공해야 하는데, 불행하게도 아시아제국의 근대정치사는 탐욕적 개인들에 의하여 지배되어온 역사였습니다. 전 국가의 정신적 가치가 그 국가를 리드하는 리더십의 도덕성 하나로 좌우될 수 있는 것입니다. 한 나라의 도덕적 위기상황이 결국 정치적 리더 개인의 탐욕 때문에 생길 때가 비일비재합니다. 그러니까 탐욕스런 마음 하나 다스릴 줄 모르는 사람들이 권력을 쥐게 되면 그 부패와 해이는 그 국가에 속해있는 모든 사람의 부패와 해이를 조장합니다. 그러니까 결국 인간세의 문제는 인간의 마음에 달렸다고 하는 부처님의 말씀이 어찌 헛된 말이겠습니까? 우리 티벹도 예외는 아니었다고 생각합니다. 그러나 우리는 고난을 통하여 진실하게 사는 법을 배울 수 있었던 것입니다."

1948년 1월 30일 오후 5시 17분, 뉴델리에는 세 발의 총성이 있었다. "헤 람(He Ram), 오~ 신이여!" 위대한 영혼의 소유자 마하트마 간디의 최후의 일성이었다. 그가 이 소리를 발했을 때, 그의 몸무게는 100파운드였고, 그의 전재산은 100루삐였다. 지금 환율로 계산하면 2달러 정도 되는 돈이다. 사티야그라하(Satyagraha), 아힘사(Ahimsa), 그리고 시민불복종(Civil Disobedience)운동으로 대영제국을 흔들었고 인도라는 거대한 대륙을 근대국가로 새롭게 탄생시킨 한 정치적 지도자의 최후의 모습인 것이다.

요즈음 택시를 타면, 운전사아저씨들이 공통적으로 하는 한마디가 있다: "누가 해먹어도 좋으니까 단 한번만이라도 법대로만 하는 대통령이 있었으면 좋겠습니다." 여기서 법이란 법률(law)일 수도 있지만 그 내용인즉 다르마(Dharma)인 것이다.

간디가 사티야그라하(진리파지)운동을 펼친 뭄바이 주거지, 마니 바완(Mani Bhavan)에 걸려있는 판화.

## 열반이 해탈을 보장하지 않는다

나는 너무 정치적인 문제로 깊게 들어가고 싶질 않았다. 그것은 시간이 나면 뒤에서 다시 다루기로 하고 화두를 틀었다. 마음이라는 이야기가 나온 김에.

"아까 불교를 심리학이라고 말씀하셨는데요, 그 심리학의 궁극적 목표는 무엇입니까?"

"그것은 마음의 평화입니다."

달라이라마의 대답은 정말 정갈했다. 그는 될 수 있으면 어려운 불교용어를 피해가며 말한다.

"마음의 평화란 열반(Nirvāṇa)을 의미하는 것입니까?"

"그렇습니다."

"그러면 그것은 존재가 아닙니까?"

"그것은 분명 존재가 아닙니다. 열반에 들었다고 하는 표현이 열반이라는 존재가 있고, 그 존재 속으로 내가 들어간다는 의미는 아닌 것입니다. 열반은 어떠한 경우에도 서양철학에서 말하는 존재론적 실체(ontological entity)일 수는 없습니다."

"그렇다면 열반이란 무엇입니까?"

"그것은 마음의 상태(state of mind)입니다."[126)]

"열반이 마음의 상태라고 규정하신다면, 우리가 열반적정의 마음의 상태에 이르게 된다면 번뇌도 곧 보리가 되는 것이므로, 윤회도 사라져버릴 것이 아닙니까?"

"그렇지 않습니다. 어떠한 마음의 상태에 이르든지 간에 그 마음의 상태가 윤회하는 것입니다. 윤회하는 것은 마음입니다."

"그렇다면 열반이 해탈을 보장하지 않는다는 말씀이십니까?"

"열반이 해탈을 보장하는 것은 아닙니다. 열반은 무주처열반(無住處涅槃, apratiṣṭhita-nirvāṇa)을 의미하는 것이므로 그것은 깨달음의 세계에도 미망의 세계에도 안주하지 않습니다."

"당신은 대승 보살의 정신을 말씀하고 계시군요!"

"그렇습니다."

"성하께서는 해탈을 원하십니까? 윤회를 원하십니까?"

"나는 해탈을 원하지 않습니다. 해탈이 마음의 모든 것의 완전한 종지이며 무(nothingness)라고 한다면 나는 그런 것을 원하지 않습니다. 나는 삼사라(윤회)가 더 좋습니다. 아무 것도 없는 것 보단 훨씬 더 재미있으니까요!"

그러면서 그는 크게 너털웃음을 지었다. 나도 또 다시 따라 웃을 수밖에 없었다.

"그럼 붓다는 재미없는 사람이겠네요?"

"그렇습니다. 붓다는 이미 다르마 그 자체입니다. 어떤 구체적 형상으로는 다시 구현될 수 없습니다. 그러나 그는 이 우주에 충만한 어떤 에너지로 남아있습니다. 개별적인 나라는 의식이 없을 뿐이지요."

## 윤회는 과학이다

이런 부분에 오면 그의 이야기는 알 듯 말 듯했다. 그러나 그 자신은 매우 명료한 논리를 가지고 분명하게 말하고 있는 것이 분명했다.

"열반이나 해탈과 무관하게 윤회는 있는 겁니까?"

"그렇습니다."

"윤회라는 것은 인간의 선업과 악업의 과보를 정당하게 만들기 위해서 논리적으로 설정된 하나의 문화적 전통(cultural convention)이 아닙니까? 그것은 성하나 티벧사람들의 세계인식의 한 방법이지 그것을 사실로서 강요할 수는 없는 것 아닙니까? 성하와 같이 과학에 사리가 분명하신 분이 윤회를 정말 사실이라고 믿고 계신 겁니까?"

"윤회는 사실입니다."

"문화적 사실이나 심리적 사실이나 논리적 사실이 아닌, 물리적 사실이며 과학적 사실입니까?"

"그렇습니다. 윤회는 과학적 사실입니다."

나는 이런 대목에 오면 솔직히 말해서 수긍이 가질 않는다. 역시 나는 유교전통의 상식인에 불과한 모양이다. 난 정말 달라이라마의 기묘한 의식체계에 두 손 들고 항복을 하거나, 얼씨구 지화자를 외치면서, 술 호로 하나 꿰찬 취선(醉仙)이 되어 멀리 도망가버릴 생각밖엔 나질 않았다. 그러면서 나는 또 짓궂게 다그쳤다.

"성하의 말씀대로 윤회가 과학적 사실이라고 한다면, 그것은 반드시 과학적 검증을 거쳐야 하는 것입니다. 과학적 검증을 통하여 윤회가 사실이 아니라는 것이 입증이 된다면 성하께선 어떻게 하시겠습니까?"

"그러면 물론 윤회가 사실이 아니므로, 윤회에 대한 모든 생각을 바꿔야겠지요. 불교의 연기적 세계관은 허황된 것을 믿음으로서 강요하지 않습니다."

# 무아와 윤회의 모순

나는 정말 할 말이 없어지고 말았다. 하는 수 없이 두 손 들고 항복할 수밖에 없는 것 같았다. 왜냐하면 나는 당초에 과학적 검증 운운했지만, 이러한 영역은 영원히 과학적 검증의 대상이 되기가 어려운 것이다. 그렇게도 정정당당하게 말씀하시는 것을 보니, 아마도 나의 이런 질문에 감춰져 있는 논리적 함정을 이미 간파를 하고 계셨을 것이다. 그러나 나는 솔직히 윤회를 사실로서 믿는 세계관에는 익숙하기 어려울 것 같았다. 그러나 윤회를 사실로서 받아들이지 않으면 불교의 많은 교설들이 논리적으로 성립불가능해진다. 임마누엘 칸트는 아예 그것을 요청(postulation)으로 말해버렸지만 달라이라마는 그것을 사실(fact)로서 이야기하고 있는 것이다. 칸트는 역시 합리주의적 철학자였고, 달라이라마는 종교적 지도자임이 분명했다. 더 이상 쑤시고 들어가 봤자 나만 손해

볼 게 분명했다. 나는 묘책을 하나 또 생각해냈다.

“원시불교, 대승불교를 막론하고 불교의 최고의 법인 중의 하나가 제법무아라는 것을 인정하시죠?”

“물론이지요.”

“그렇다면 제법무아라는 것은 모든 존재에 아트만이 없다는 것입니다. 맞죠?”

“댓스 라이트. 오케이.”

나는 잔뜩 긴장하면서 그를 쑤시기 위해 다짐을 하고 또 다짐을 하였다. 그는 나의 긴장한 태도가 좀 의아스러운 듯하면서도 아주 코믹하게 “오케이”를 연발하는 것이었다.

“나라는 존재가 결국 무아라고 한다면 실체로서의 나라는 존재 그 자체가 해소되어 버린다라는 것을 의미합니다. 그러나 윤회라는 세계관이 의미를 갖는다는 것은 윤회의 주체로서 자기동일성을 갖는 어떤 실체의 지속을 전제로 하는 것입니다. 즉 윤회에는 아트만이 반드시 있어야 하는 것입니다. 제법에는 아(我)가 없는데 윤회에는 아(我)가 있다. 제법무아란 분명 붓다의 세계관을 의미하는 것인데 어떻게 무아의 세계관과 아를 지속시켜야만 하는 윤회의 세계관이 동시에 가능한 것입니까? 무아와 윤회는 불교이론의 모순되는 두 측면이 아닙니까?"

나는 이제 달라이라마가 나의 공세에 디펜스가 좀 난처한 입장으로 몰렸다고 생각했다. 의기양양하게 질문을 마치자마자 달라이라마는 반갑게 기다렸다는 듯이 다음과 같이 외치는 것이었다.

"댓스 굳 퀘스쳔! 정말 좋은 질문입니다. 그것은 불교를 생각할 때, 많은 사람들이 가장 오해를 잘하는 대목이며, 또 많은 사람들이 애매한 상념에 빠져 불필요한 고민에 빠지거나 어려운 해결책을 시도하는 그러한 문제이지요. 그러나 붓다가 무아를 말했을 때의 아는 변하지 않고 상주하는 아며, 절대적이며 타에 의존치 않는 독립적인 아며, 또 집적태로서의 분할이 불가능한 단일한 아인 것입니다. 이렇게 자립적(自立的)이며 독립적(獨立的)이며 단일적(單一的)인 성질을 구비하는 존재를 우리는 스바브하바(svabhāva), 즉 실체라고 부릅니다. 그러니까 불교의 무아론은 실체로서의 아가 존재하지 않는다는 것을 의미합니다. 실체로서의 아가 존재하지 않는다는 무아론은 결코 윤회를 부정하지 않습니다. 즉 무아의 세계관은 전혀 윤회와 모순되지 않습니다. 실체적 자아는 연기적 자아와 대립되는 개념이며, 실체적 자아가 없어져도 연기적인 자아는 분명히 있는 것이므로, 그 연기적인 자아가 윤회를 계속하는 것입니다."

나는 어퍼커트를 살짝 멕일려다가 스트레이트를 된통 얻어맞은

꼴이 되고 말았다. 그러나 쉽게 포기할 수는 없는 노릇이었다.

"연기적 자아라는 표현에 대해서 좀더 설명을 해주시죠?"

"연기란 한마디로 무자성(無自性, niḥsvabhāva)이라는 뜻입니다. 무자성이란 자성(自性)의 법(法, dharma)이 인정이 되지 않는다는 말인데, 그것은 결국 모든 존재는 서로 의존하고 있으며(interdependency), 상호관련되어 있다(interconnectedness)는 뜻입니다. 이러한 상호의존성·상호관련성을 불교에서는 공(空, śūnya)이라고 부르는 것입니다. 그러니까 불교에서 말하는 공은 아무 것도 없다는 뜻의 무(無, Nothingness)가 아닙니다. 그러니까 무엇인가 항상 거기 있는 겁니다(something there). 그러니까 무아라고 하는 뜻은 아라는 존재의 소멸을 의미하거나 나의 완전한 무화를 의미하는 것이 아니라, 아에 대한 이해방식의 근원적인 변화를 의미하는 것입니다. 즉 그것은 **마음의 소멸**이 아니라 **마음의 혁명**입니다. 혁명이란 마음이 새로워진다는 것입니다. 그러한 마음의 혁명을 불교는 지향하고 있는 것입니다."

"좋습니다! 그러나 그러한 무아적 나의 본연으로 돌아왔다 할지라도 그것이 윤회를 부정하는 것이 아니라면, 윤회의 굴레로부터의 해탈이라고 하는 불교의 지상명제는 온데간데 없이 사라지고 마는 것이 아닙니까? 아(我)들의 영원한 윤회만 존속하는 것이 우리들의 우주가 아니겠습니까?"

“지금 너무 지나치게 ‘해탈’이라고 하는 말에 집착해서는 아니 될 것 같습니다. 원시경전에서부터 부처님 자신이 열반이나 해탈이라는 말을 그렇게 엄밀하게 윤회로부터의 온전한 벗어남이라는 의미로 쓰지는 않았습니다. 그것은 일차적으로 번뇌로부터 벗어남이라는 의미로 가볍게 쓰였던 말입니다.”

“그렇다면 번뇌로부터 벗어난다면 윤회도 곧 사라져야 하는 것이 아닙니까? 윤회라고 인식했던 세계 그 자체가 깨달음의 세계로 전환되어야 할 것이 아닙니까? 이것이 곧 대승이 말하는 ‘생사즉열반’(生死卽涅槃)이요, ‘번뇌즉보리’(煩惱卽菩提)라고 하는 말의 참 뜻이 아니겠습니까? 왜 또 다시 달라이라마께서는 윤회라고 하는 세계의 모습 그 자체를 실체화 하고 계신 것입니까?”

“윤회의 실체화, 그것은 참 강력한 표현이군요. 그런데 도올선생님께서는 저의 말을 근원적으로 오해하고 계신 것 같습니다. 도올선생님은 윤회를 부정하고 나는 지금 윤회를 긍정하는 각도에서 서로의 변론을 쌓아가고 있는 듯한 착각에 빠지게 되겠는데요, 불교에서는 근원적으로 윤회라는 사실을 긍정적으로 보거나, 가치적으로 옹호해야 할 대상으로 보고 있는 것이 아닙니다. 즉 ‘번뇌즉보리’라는 혁명을 인정한다 할지라도 해탈하지 못한 인간의 마음이 존재하는 한 윤회는 존속될 수밖에 없다는 것입니다. 그리고 한 인간에게 있어서도 너무 깨달음이라고 하는 것을 현재적 순간의 절대적 경지로서 파악하는 것은 연기적 세계관에 있어서 불가능하다는 것입니다. 저는 선승들의 그러한 주장을 이해하기가 어렵습니다. 모든 현재라는 찰나는 과거의 업의 결과이며 또 미래의 지향성과 반드시 관계되어 있습니다. 인간의 마음 그 자체가 하나의 승계적인 흐름인 것입니다. 따라서 아무리 내가 현세에서 대단한 각(覺)을 이루었다고 할지라도 그것은 기나긴 과거세의 업장을 다 소멸시키기는 어렵습니다. 그리고 인간은 아무리 대단한 깨달음을 얻었다 할지라도 인간이라는 존재성의 관계그물이 있는 한에 있어서는 또 다시 업이 쌓이게 마련입니다. 윤회란 이러한 인간의 마음의 역사입니다. 인간의 허약하고 집착하고 치우치는 변계소집(遍計所執, parikalpita)의 마음이 있는 한 윤회의 굴레는 계속될 수밖에 없습니다. 그 굴레에서 벗어나시는 것은 도올선생님 자신의 노력에 의한 경지에 따라 이루어질 것입니다."

아무리 윤회의 문제를 정면으로 쑤시고 들어간들 승산이 있을 턱이 없었다. 그래서 나는 작전을 변경했다. 공세의 방향을 대전환시키기로 작심했다. 그러나 윤회의 문제를 포기할 수는 없었다.

"좋습니다. 사실 윤회의 문제란 불교의 전유물이 아닙니다. 그것은 인도아리안족의 세계관의 공통분모였으며 그들은 그러한 윤회의 생각을 통해서 카스트의 고착성을 정당화시킬려고 노력했습니다.[127] 그리고 또 희랍의 올페이즘에도 완전히 동일한 윤회의 생각이 있습니다. 피타고라스도 영혼의 불멸을 믿었으며 그 영혼은 끊임없는 환생의 과정을 반복하며 따라서 모든 의식있는 생물들은 인간과 동일하게 취급되어야 한다고 생각했습니다. 피타고라스가 동물들을 앞에 놓고 설교하곤 했다는 사실을 아십니까?[128]"

"재미있군요."

"그리고 기독교도 윤회를 믿지는 않지만 부활을 믿으며 영혼의 불멸을 믿습니다. 여기서 중요한 것은 인도적 세계관이 되었든, 희랍적 세계관이 되었든, 유대교-기독교적 세계관이 되었든, 인간의 영혼이 사후에 지속된다는 것을 믿는다는 것입니다. 이 영혼의 사후지속이라는 의미맥락에서 가장 중요한 사실은 한 영혼의 동일성(identity)의 지속입니다. 이 동일성의 지속의 보장이 없다면 윤회는 무의미한 것입니다. 내세에 대한 패러다임을 가지고 있지 않은 문명은 없습니다. 그런데 그 패러다임에 가장 중요한 디프스트럭쳐는 영혼의 동일성이 보장되느냐 안되느냐에 달린 것입니다. 그런데 재미있게도 중국문명은 그러한 영혼의 동일성의 체계를 인정하지 않았다는 것입니다. 인간의 생명이란 기의 집합태이며, 인간의 죽음이란 곧 기가 흩어지는 것을 의미합니다. 무덤으로 들어간 백(魄, 신체적 부분)은 흙이라는 기로 흩어지며, 하늘로 날아간 혼(魂, 정신적 부분)도 공중의 대기로 흩어질 뿐입니다. 흩어진다고 하는 뜻은 거기서 다시 새로운 조합이 이루어진다 할지라도 그 흩어지기 전의 동일성(identity) 체계가 전혀 반영이 되지 않는다는 것을 의미합니다. 흩어지면 그것으로 끝나버리는 것입니다. 그리고 인간의 영혼의 동일성은 인간의 기억의 흐름이라고 말할 수 있는 역사 속에서만 보장받는 것입니다. 따라서 인도인들이 역사를 경시한 것과는 달리 중국인들은 역사를 중시했습니다. 그래서 이미 전한(前漢)시대에 사마천의 『사기』와 같은 위대한 실증주의적 역사서가 쓰여졌습니다. 우리 한국사람들도 이러한 중국적 문명의 패러다임에 더 친숙하다고 말할 수 있습니다. 영혼의 윤회를 운운하는 것보다는 이러한 역사적 인과를 말하는 것이 보다 합리적이고 보다 상식적이고 보다 과학적이라 말할 수 있지 않겠습니까?"

"도올선생님은 지금 저하고 중국철학적 세계관을 토론하기 위하여 오신 겁니까? 우리는 지금 불교를 말하기 위해 만난 것이 아닙니까?"

## 윤회하는 것은 미세마음이다

나는 갑자기 숨이 콱 막히고 말았다. 사실 난 중국철학적 세계관에 오며는 너무도 할 말이 많다. 그것은 나의 언어영역이기 때문에 나는 세세하고도 권위있는 답변을 끝없이 늘어놓을 수가 있다. 그러나 성하의 말씀도 일리가 있었다. 전혀 다른 평행선의 신념체계를 맞부닥뜨려 본들 거기서 설득이나 타협이란 실제로 불가능한 것이기 때문이다. 더구나 종교적 가치의 문제가 개입되고 있는 이상! 달라이라마는 말씀을 이었다.

"유교는 종교가 아닙니다. 그것은 세속적 윤리(secular ethics)입니다. 그것은 바람직한 삶(good life)에 관한 것이며, 좋은 사회, 좋은 군주, 좋은 시민에 관한 담론일 뿐입니다."

"성하께서는 이미 불교도 엄밀한 의미에서는 종교가 아니라고 말씀하시지 않았습니까? 그렇다면 불교와 유교를 하나는 종교이고 하나는 종교가 아니다라는 식으로 양분시킬 수는 없는 것 아닙니까?"

"물론 엄밀한 의미에서 불교도 종교가 아니라고 한 나의 말은 지금도 유효합니다. 내가 불교는 종교가 아니라고 말한 뜻은, 종교가 서양에서처럼 창조주나 이 우주의 모든 운행을 관할하는 지배자로서의 초월신의 존재를 전제로 해야만 한다면, 그러한 맥락에서의 종교는 아니라는 것을 명백히 한 것뿐입니다. 즉 종교의 성립요건에 창조주나 초월신의 개념이 필요충분조건이 아니라는 것입니다. 그러나 모든 종교에 가장 본질적인 주제는 '신'이 아니라 '죽음'입니다. 즉 인간의 유한성의 문제이지요. 그러니까 유한한 존재인 인간은 반드시 죽음과 죽음 이후의 세계(Afterlife)에 대한 상념이 없을 수가 없습니다. 최근의 생철학이나 실존철학도 삶의 철학이지만 죽음의 문제로부터 발전한 사상체계가 아니겠습니까? 그리고 중국사람들이 아무리 이러한 내세의 문제를 등한시했다고 하더라도 그것은 고등한 사유의 세계에서만 이루어진 담론일 뿐, 민중의 실제적 관심은 내세에 있었다고 생각됩니다. 왜 진시황제가 자기 무덤 속에 그렇게도 거대한 지하궁전을 만들었으며, 왜 모든 귀족들의 무덤이 그렇게도 내세적인 심볼로 가득차 있겠습니까? 바로 우리 불교는 이러한 내세의 문제를 합리적으로 해결하고 있기 때문에 중국문명에도 깊게 침투할 수 있었던 것입니다. 죽음의 공포와 영혼불멸에 대한 갈망, 이것은 인간의 가장 본원적인 문제입니다. 우리 불교는 이러한 문제를 매우 근원적으로 해결했던 것입니다. 대승불교만 하더라도 윤회의 비관론(the pessimism of saṃsāra)을 반야의 낙관론(the optimism of prajñā)으로 전환시킨 일대 정신혁명(spiritual revolution)이었습니다."

나는 또 한 번 그의 웅변에 압도되고 말았다. 그는 모든 주제에 대해 매우 명료한 답변을 다 준비해놓고 있는 것 같았다. 그러나 나의 추궁은 집요했다.

"앞서 말씀드린 영혼의 동일성의 지속의 문제는 해결되지 않은 채로 남아있습니다."

"어떻게 그렇게도 도올선생님은 적절한 질문만을 골라 던지시는지 참 놀랍군요. 도올선생께서 지적하신 문제야말로 흔히 불교에 대해서 너무도 많은 사람들이 애매하고 막연하게 생각하기만 해서 오해가 많은 핵심적 주제이지요. 우선 '영혼의 동일성의 지속'(the continuation of the identity of soul)이라는 말 자체에 대한 세밀한 검토가 필요합니다. 우리 티벹에서는 윤회의 과정에서 전생의 존재가 확인된 사람들을 뚤꾸(trulku)라고 부릅니다. 그러니까 화신(化身, nirmāṇa-kāya)의 뜻이지요. 저는 제 전대 13대 달라이라마의 뚤꾸입니다. 그렇다면 이것이 과연 무슨 뜻인가? 나는 아무런 자유의지도 없는 13대 달라이라마의 지속체인가? 그의 영혼, 그의 의식, 그의 마음의 모든 것이 나에게 고스란히 옮겨져 온 것

인가? 저는 결코 '동일성의 지속'이라는 말을 포기하지는 않겠습니다. 그러나 보통사람들이 생각하는 것과 같은 그러한 '동일한 인간의 지속'이라는 현상은 존재하지 않는다는 것입니다. 그것이야말로 무아의 이론에 정면으로 위배되는 비불교적인 생각입니다. 윤회를 하는 것은 우리의 신체가 아니고 우리의 마음입니다. 그러나 그 마음조차도 우리가 상식적으로 생각하는 마음이 아닌 것입니다. 그것은 매우 특수한 마음의 상태인 것입니다. 우선 상식이라는 말을 생각해봅시다. 상식(常識)이란 가장 항상적인, 그러니까 가장 흔한, 가장 보편적인 의식의 상태를 의미합니다. 이러한 상식의 마음의 상태에서는 우리의 모든 기관들(organs)이 쉬지않고 온전하게 작동하고 있습니다. 이것을 우리가 상식적 마음의 차원이라고 합시다. 그러나 우리가 수면을 취할 때는 다른 마음의 차원을 이야기해야 합니다. 우리가 수면을 취하고 있을 때는 누가 칼로 찔러 죽여도 모를 수 있으니까 우리의 안식이나 전5식이 모두 작동하지 않는다는 얘기가 될 것입니다. 그러니까 상식의 레벨에서와 같은 기관들이 다 작동하고 있지 않다는 얘기지요. 그러나 잠잘 때도 꿈을 꿀 수가 있습니다. 그러면서 그 꿈을 꾸는 의식은 때때로 색깔까지 볼 수가 있습니다. 그러니까 잘 모르지만 어떤 미묘한 기관이 작동하고 있다는 얘기지요. 그런데 꿈이 전혀 없는 깊은 수면의 상태로 몰입할 수가 있습니다. 이 상태는 마음의 또 다른 차원입니다. 점점 우리의 상식에서 느끼는 의식의 상태가 백지화되어간다는 것을 의미하는 것이겠지요. 그리고 또 기절이나 졸도하는 상태(faint)를 생각해볼 수 있습니다. 이때 호흡

이 멈추고 가사상태를 유지할 때 인간에게는 더욱 더 깊은 내면의 마음상태로 내려가겠지요. 이것은 마음의 또 하나의 깊은 차원입니다. 그리고 우리가 최후적으로 죽어갈 때, 죽음의 직전의 상태를 생각해볼 수 있습니다. 이때는 우리의 맥박이 멈추고 심장의 대순환이 멈춥니다. 그리고 모든 세포에로는 혈액공급이 그칩니다. 그렇게 되면 몇 찰나에 뇌의 기능이 멈추게 되겠지요. 이런 뇌사의 상태를 우리는 임상적으로 죽음이라고 부릅니다. 이때 우리는 이 사람이 죽었다는 표현을 쓰게 됩니다. 그런데 매우 최근에 우리 티벧스님이 돌아가셨는데 일주일 동안 그의 몸이 산몸처럼 프레쉬하게 유지되었습니다. 그리고 작년에는 또 한 스님의 신체가 3주 동안 완전히 산사람처럼 유지되었습니다.[129] 이것은 뇌의 기능이 멈춤으로써 이승에 속한 마음은 종료되었지만, 어떤 순수하고 미묘한 마음, 즉 미세마음(Subtle Mind)이 그 몸과 아직 더불어 있다는 것을 의미하는 것입니다. 그런데 그 미세마음이 그 몸에서 떠나게 되면 구규로부터 진액이 흐르고 부패하기 시작하는 것입니다. 이 미세마음은 너무도 미묘한 것이래서 우리 인간이 분별적으로 인지할 수는 없는 것입니다."

"윤회를 하는 것은 바로 이러한 미세마음(Subtle Mind)이다, 그런 말씀이시군요."

"이그잭틀리(Exactly)! 윤회를 하는 것은 미세마음(Subtle Mind)이지, '나'라고 하는 개체(Self)가 통째로 이동하는 것이 아닙니다.

이 미세마음이 새로운 신체와 결합하게 되면 그 마음은 새롭게 자라고 성장합니다. 그러면 그것은 다른 의식의 상태를 가지게 되는 것이지요."

"미세마음은 동일하지만 인격체로서는 전혀 다른 개체가 태어난다는 그런 말씀이시군요."

나는 급한 호흡을 가다듬고 계속 말을 이었다.

"전혀 다른 인격체라고 한다면 미세마음의 동일성을 무엇 때문에 유지할 필요가 있습니까? 아예 그런 꼬리표를 떼어버려도 좋지 않습니까?"

"인간이 살아있을 때는 이런 상황은 종종 경험됩니다. 어렸을 때의 나와 지금의 나가 경험의 체계가 너무도 달라서 완전히 다른 사람이 되었을 때에도 역시 그 마음의 동일성은 승계되고 있다고 보아야 하지 않겠습니까?"

"정신병자가 되었다든가, 뇌의 충격을 받아 전혀 다른 인간이 되었다고 한다면 그 마음조차도 전혀 다른 것으로 간주 할 수도 있지 않겠습니까?"

"그렇지 않습니다. 왜냐하면 그 미세마음이라는 것 자체가 고정불변의 동일체계가 아니고 찰나찰나 생멸 속에서 계승되는 것이기 때문입니다."

"그렇다면 그 미세마음에도 인간의 업장은 묻어가는 것입니까?"

"그렇습니다. 바로 그러한 카르마의 문제가 관련되어 있기 때문에 환생의 윤리적 조건이 형성되는 것입니다. 평소에 아무리 의식적으로 좋은 일을 하고 살았다 할지라도 무엇인가 마음에 꺼림직한 일들을 마음구석에 무의식적으로 숨겨두었다고 한다면, 뇌사와 더불어 상식적 의식은 소멸되어도 그러한 매우 심오한 업장은 바르도상태에 영향을 미칠 수 있다는 것입니다. 그러한 악업으로 인해 좋은 환생의 길을 선택할 수가 없게 되는 것이지요."

"그렇다면 중유(中有, antarā-bhava)[130]의 상태에도 아라야식(阿賴耶識, ālaya-vijñāna)의 업장은 유지된다는 말인가요?"

"우리 티벹불교에서는 유식의 표현은 직접 활용하지는 않습니다만, 그렇게 이해하셔도 대차는 없습니다."

"말씀하시는 것을 모두 액면 그대로 받아들여도 저에게는 몇가지 의문이 남습니다. 우선 말씀하시는 이러한 모든 것이 과학적 사실이라고 한다면, 우선 미세마음이 물리적 근거가 있는 것입니까? 없는 것입니까? 그것이 전혀 없는 것이라면 이 모든 이야기는 환상에 그치고 말수가 있습니다."

"도올선생께서는 인간의 마음이라고 하는 것, 그것을 무엇이라고 생각하십니까?"

"저는 인간의 마음이라는 것은 물리적 조건을 떠나서 생각할 수 없는 것이라고 생각합니다. 그것은 물질로부터 현현(emergence)되는 그 무엇일 뿐이라고 생각됩니다. 그러니까 신체적 조건을 떠나 독립적으로 떠다니는 존재로서의 마음은 생각할 수 없다는 것이지요. 그런 것이 있다면 그것은 살아있는 조건하에서의 이매지내이션의 기능일 뿐입니다."

"참 명료하시군요. 저도 물체와 정신의 이원론적 구분을 싫어합니다. 물체와 정신이 실체로서 따로따로 노는 데카르트적인 이원론은 저도 싫어합니다. 그래서 저의 모든 논의도 심·신을 하나의 장 속에서 얘기하는 맥락을 결코 떠나지 않습니다. 그러나 물체를 꼭 형상을 지니는 존재 즉 공간적 점유로 생각치 않는 것이 가능하다면, 우리의 의식이나 마음도 그러한 에너지로 생각할 수도 있습니다. 그러니까 그러한 마음의 에너지가 이동하는 것이죠."

"그 이동현상을 이렇게 이해해도 되겠습니까? 통장의 번호는 똑같은데 끊임없이 출납의 내역이 달라진다, 이런 식으로 말이죠?"

"무방합니다."

"그런데 그런 통장번호를 인정해버린다면 이 우주의 미세마음의 개수가 정해져 있다는 얘기밖에는 되지 않습니다. 이런 결정론은 좀 억지스러운 이야기가 아닙니까?"

"한 사람의 미세마음이 바로 다음 사람의 미세마음으로 연결되는 것만은 아닙니다. 위대한 마음은 여러 화신을 가질 수도 있을 뿐 아니라, 또 환생의 기회를 전혀 얻지 못하고 돌이나 나무에 붙어있는 미세마음도 있습니다. 또 윤회는 인간세의 윤회만 있는 것이 아니라 6도(六道, ṣaḍ-gati)윤회가 있습니다. 예를 들면 천계(天界)에 태어난 마음은 수천년을 살 수도 있습니다. 그러니까 일정한 개수의 마음만 윤회한다는 이론은 성립하지 않습니다. 그것은 우리의 계산능력으로 다 헤아릴 수 없는 세계입니다."

"참 자세히도 대답을 준비해놓으셨군요. 6도윤회 이야기가 나와서 말인데, 왜 윤회에는 꼭 동물만을 집어넣었습니까? 식물로는 윤회를 하지 않습니까? 식물도 정교한 생명체가 아닙니까?"

"윤회는 마음을 기준으로 한 것입니다. 그래서 과거에는 식물에는 의식이 없다고 생각했기 때문에 윤회의 자리에서 제외시킨 것입니다. 그러나 현대과학에서는 식물도 저급하지만 훌륭한 의식적 행동을 하는 것으로 밝혀지고 있습니다. 그렇게 우리의 마음의 영역이 식물에까지 넓혀질 수 있다면 당연히 윤회의 영역도 식물까지 포괄할 수 있게 될 지도 모르지요."

카필라성의 왕자 싯달타는 보습에 버혀지는 지렁이의 아픔에 몸서리쳤다. 카필라성에서 내가 찍은 개미

# 근대적 인간, 합리성, 불교

나는 몇년 전에 읽은 애튼보로의 『식물의 사생활』이라는 책이 생각났다.[131] 식물의 행태에 관한 수준높은 보고서였다. 그런데 나는 더 이상 윤회문제로 머뭇거릴 수가 없었다. 오늘 나와 달라이라마의 예정된 시간은 매우 제한된 것이었기 때문이었다. 달라이라마의 대답은 매우 명료했다. 그것은 이미 오랜 논전을 거쳐 성숙된 정연한 이론체계일 것이다. 이제 나는 감잡기 어려운 형이상학의 세계로부터 우리가 살고 있는 이 형이하학의 세계로의 착륙을 시도하는 것이 최선의 방책이라는 결론에 도달하고 있었다.

"이것은 좀 다른 이야기입니다만, 좀 더 구체적인 현실문제에 관해 몇 말씀만 여쭙고 싶습니다. 결국 우리가 살고 있는 사회는 근대사회로 이행하지 않을 수 없습니다. 티벹도 아무리 불교문화

전통 속의 사회이지만 보편적인 근대사회로 이행하지 않을 수 없습니다. 근대사회의 핵심은 근대적 인간(Modern Man)이며, 근대적 인간의 핵심은 합리성(Rationality)이며, 합리성의 핵심은 이성(Reason)입니다. 그런데 이러한 이성적 사회의 건설 그 자체가 서구에 있어서 조차도 하나의 위기상황에 봉착해 있습니다. 오늘날 이성이라는 것 자체가 과거처럼 인간이 그 실현에 참여해야할 '목적'으로 있는 것이 아니라 임의적으로 설정된 목적을 달성하기 위한 수단으로서의 적합성을 따지는 형식적 · 기술적 '도구'(Instrumental Reason)로 전락해버렸다는 호르크하이머(Max Horkheimer)의 비판이론(Critical Theory)으로부터 시작하여[132] 이성 그 자체가 제기하는 많은 문제들에 대한 논의가 계속되고 있습니다. 하버마스(Jürgen Habermas, 1929 ~ )같은 사상가는 이성 그 자체를 해체시키는 것 보다는 이성의 다변화로 인해 나타나는 생활세계 속에서 새롭게 소통의 장을 건설함으로써 근대가 진행되면서 나타나는 많은 문제들을 해결해보자는 입장을 취하고 있는 것입니다. 즉 근대사회 그 자체가 하나의 미완성의 프로젝트라는 것이지요.[133]"

"저는 말씀하시는 그런 문제에 관한 서양학계의 구체적 논의의 맥락은 잘 모릅니다. 그러나 합리성(Rationality)의 문제는 비단 서양 근대사회의 특수담론이 아니라 인류사의 보편적 과제상황이었다는 것을 말씀드리고 싶습니다. 그리고 어떠한 경우에도 합리적 인간의 과제는 영원히 다각적으로 검토되어야 할 문제이며, 근대라고 하는 산업사회의 문제에 국한되는 것은 아닙니다.

이성에 관한 졸렬한 논의의 대부분이 이성을 초월적 신에 대하여 대자적으로(antithetically) 설정하는 데서 유래되는 것입니다. 붓다는 이미 이천오백년전에 신을 부정했습니다. 그 이상의 강력한 합리성의 예시가 어디있겠습니까? 불교는 어떠한 경우에도 합리성을 부정하지 않습니다. 서양은 이성이라는 것을 신에 대항하는 것으로 생각했고, 자연을 지배하는 것으로 생각했습니다. 그래서 결국 이성은 도구화되어 버리고만 것입니다. 그러나 불교에서 말하는 이성은 신을 비실체화시켰으며 자연을 나의 존재내부로 끌어들였으며 그 모든 것을 무분별의 자비로 감쌌던 것입니다. 그리고 불교는 나의 주관적 정신의 프로젝션(투사)으로서의 대상을 말하지 않습니다. 그러한 서양식의 관념론은 매우 위험한 것입니다. 나가르쥬나도 그러한 유식론의 관념성을 철저히 비판했습니다. 이성이 알아야 할 것은 사실이며 현실이며 여여(如如, tathatā)의 궁극적 실상입니다. 그래서 붓다는 자기의 제자들에게 내 말을 그냥 그대로 받아들이지 말라고 했습니다. 제자들에게 항상 자신의 이성과 논리를 따라 검증해보고 또 검증해볼 것을 권유했습니다. 이러한 자유로운 탐색과 논의와 컴뮤니케이션, 이런 개방적 마음이 바로 날란다대학(Nālandā University, 기원 후부터 서서히 형성되어 4세기~7세기경에 눈부시게 발전, 13세기 초에 무슬림침공으로 쇠락한 거대한 불교대학, 라즈기르의 북쪽 11km에 위치)의 전통이었습니다. 따라서 불교는 어떠한 도그마도 검증없이 받아들일 필요가 없습니다."

"붓다가 신을 거부했다는 것, 그것부터가 강력한 합리성의 전통이라는 말씀은 정말 서구인들이 깊게 깨우쳐야 할 명언 같습니다. 서양의 가장 큰 문제는 이성이 제기한 문제들을 논의하는 데 있어서도 너무 난해한 자기개념들의 울타리에 갇혀 담론을 일삼는다는 것입니다. 프랑크후르트학파의 논의를 일별해 보아도 아무 내용도 없는 몇마디 이야기를 가지고 그렇게 어렵게 논의하기 때문에 또 다시 그러한 담론이 사회의 생활세계로부터 격절되어 버리고 만다는 것입니다. 그것이 소기하는 문제를 보편적으로 인식시키는 데 실패하고 있다는 것입니다. 그리고 또 다시 실천없는 소수의 이론적 마스타베이션을 위한 이론으로만 전락되어버리고 마는 것입니다."

나의 이야기를 바톤받아 달라이라마는 이성에 관하여 매우 중요한 언급을 하였다.

"이성이라는 것은 그 자체로는 죄가 없습니다. 그리고 이성에 관한 모든 논의는 그 논의가 되고 있는 맥락이라는 어떤 삶의 장을 떠나서 이야기될 수가 없습니다. 이성은 절대적으로 논의되어서는 아니되며 반드시 그것은 어떤 필드(Field) 속에서의 이성에 관한 논의로 규정되어야 한다는 것입니다. 즉 이성 자체가 천수관음처럼 무한히 다른 모습을 갖는다는 것입니다. 그런데 서양에서는 이성을 너무 수학적인 것으로만 생각했으며, 그리고 그것이 적용되는 대상을 지나치게 물리적 세계에 한정시켰습니다. 그러니까 계산이 가능하고 진 · 위의 분별이 정확한 그런 물리적 세계만을 이성의 영역으로 설정했던 것입니다. 그렇게 수학적 · 연역적 사유에 의하여 개발한 물리적 세계의 변혁은 참으로 놀라울만한 문명의 성과를 이룩했습니다. 그러나 그러한 이성 자체가 매우 폭력적이 되어버렸다는 것입니다. 인간을 소외시키고 인간속에 내재하는 자연을 소외시켰으며 인간과 신의 긴장감을 대적적으로 유지시켰습니다.

서양에서 말하는 이성의 가장 큰 문제는 마음의 계산적 기능을 말하는 주관적 이성(Subjective Reason)이든지, 전 우주를 지배하는 원리로서의 객관적 이성(Objective Reason)이든지 모두 실체화되어 있다는 것입니다. 그래서 그 실체화된 이성의 역사는 계속 다른 실체와 대적하거나 대치되거나 할 뿐이라는 것이죠. 그런 방식의 이성의 이해는 끊임없는 대립과 기만과 극복, 이런 투쟁의 자취만을 남깁니다. 그러나 불교에서 말하는 이성은 어떠한 경우에도 실체화될 수 없으며, 그것은 궁극적으로 마음에 관한 논의입니다. 마음은 식(識)이며, 식은 인간의 의식작용의 총체적 측면들을 포괄하는 것입니다. 따라서 이성도 인간의 마음의 다른 기능과의 단절 속에서 논의될 수는 없습니다. 이성 자체가 감정이나 본능, 신체적 단련이나 질서의 감각, 그리고 윤리적 가치등의 복합적 측면을 포괄하는 것입니다. 그리고 그것을 하나의 실체로서가 아니라 주관 · 객관을 통일하는 장의 끊임없는 관계로서 이야기해야 한다는 것이죠.

그리고 한편으로 불교에 있어서의 이성적 탐색은 반드시 자비와 관련되어 있습니다. 이성적 깨달음의 궁극에는 모든 것은 결국 연기적으로 관계되어 있는 존재며 실체성을 가질 수 없다고 하는 공의 체험과 관련이 있습니다. 이러한 공의 체험은 이성적 자각을 통해서만 이루어질 수 있는 것이지만, 그렇다고 그 이성적 자각의 절대적 가치가 따로 보장되어 있는 것은 아닙니다. 더 중요한 것은 바로 자비의 실천입니다. 즉 이성이란 연역적인 사유 영역에만 해당되는 것이 아니라 곧 감정의 세계에도 적용될 수 있는 것입니다. 어떻게 인간이라는 존재에 있어서 이성과 감정을 양분시킬 수가 있겠습니까? 우리가 이성적 깨달음을 얻는다고 하는 것은 바로 무한한 이타(infinite altruism)의 자비행의 실천을 위한 것입니다. 자비야말로 불교의 최상의 과제인 것입니다. 서양의 이성주의나 과학주의는 바로 이러한 자비의 가치를 배제시켰던 것입니다. 과학적 법칙을 왜 발견합니까? 그것은 궁극적으로 자비를 실현하기 위한 것입니다. 이것은 결코 종교인의 호소나 독단이 아닙니다. 과학 그 자체가 이미 가치를 배제할 수 없다고 한다면 그 가치의 본질은 보살의 정신이 구현하려는 바와 같이, 모든 사람이 같이 공영하고 같이 구원을 얻는 사회를 실현하는데 있는 것입니다. 이러한 것은 얄팍한 의무감이나 규범적 도덕감에서 나오는 것이 아니라 무아의 지혜에서 스스로 우러나오는 것입니다. 허망한 자아의 주체성이 상실되고 진실한 실상으로 전환되는 것, 그 자체가 이미 반야의 실천인 것입니다. 불교의 이성은 반야에 포괄되는 것이며 반야는 실천이며 실천은 곧 행위입니다. 이성적 깨달음이 곧 자비의 행(行)이지요."

나는 현대사회적 주제를 불교이론과 관련시켜 자신있게 말하는 그의 정연한 논리에 깊은 감명을 받았다.

"저는 지금 이 자리에서 성하의 말씀을 들으면서 깊은 감명을 받았습니다. 정말 성하께서 말씀하시는 이성에 대한 논의가 보다 본질적으로 서양의 사회과학을 논의하는 사람들에게 이해가 되었으면 좋겠습니다. 자기들의 레토릭의 편견을 떠나 성하께서 말씀하시는 진리의 단순한 논리뿐만 아니라 거기에 묻어있는 문화적 · 심미적 · 윤리적 분위기랄까, 냄새 같은 것까지도 좀 깊게 이해가 되었으면 좋겠습니다. 그런데 저는 누가 보든지 가장 이성적인 깨달음을 많이 얻은 인간이라고 말할 수 있을지도 모르겠습니다. 저는 분명히 매우 강렬한 이성의 감각을 가지고 살아가고 있습니다. 그런데 저는 순간순간 매우 파괴적인 감정의 노예가 되어버리고, 이성적으로 이래서는 아니되겠다는 감정의 행위 속으로 저를 휘몰아 버리곤 합니다. 참 가련한 존재이구나 하고 나 자신을 관조하게 될 때가 한두번이 아닙니다. 나를 짓밟으려 하는 자들을 편안히 용서하지 못하고……"

이 때 달라이라마는 지긋이 나를 쳐다 보다가 내 손을 따스히 잡았다.

"도올선생님! 인간이라는 게 본시 그렇습니다. 그리고 우리의 마음이라는 것은 너무도 거대한 우주입니다. 너무도 복합적이지요. 저도 어느날에는 무한한 확신이 들어서 매우 야심적인 인간이 됩니다. 그러다가 다음날에는 다른 생각이 들면서 풀이 죽곤합니다. 그러면 매우 겸손해지고 매우 부드러워집니다. 이런 감정의 기복이 저에게도 있습니다. 힘내십시요! 한국사람들은 무엇이든 잘 해내는 패기(覇氣)로 유명한 민족이 아닙니까?"

그는 또 쾌활하게 웃었다. 그러나 이번에는 나는 따라 웃지를 못했다. 그의 그러한 인간적 태도가 나를 너무도 감동시켰기 때문이었다.

# 나는 중이요

나는 사실 그에게 묻고 싶은 불교학의 전문적 주제들이 너무도 많았다. 나는 일평생 "불여구지호학야"(不如丘之好學也)[134]라는 공자님의 말씀을 가슴에 새기고 살았다. 호학(好學)이란 끊임없이 배우는 것이다. 끊임없이 배우기 위해서는 끊임없이 마음을 열어야 한다. 그런데 배우기를 좋아한다 하는 사람일수록 마음의 문을 걸어 잠근다. 그래서 독단에 갇혀 버린다. 사실 공자가 말하는 호학도 자기를 비울줄 아는 마음의 공부가 없으면 이루어 질 수가 없다. 자기를 비우는 마음의 공부가 곧 공의 지혜다. 내가 생각하기엔 공자도 그러한 공의 지혜를 터득한 분이었을 것이다. 그런데 불행하게도 작별의 시간이 다가오고 있었다. 나는 갑자기 엉뚱한 질문을 던졌다.

"당신은 이십일세기에 현실적으로 존속하고 있는 왕입니다. 왕노릇하기가 좋습니까? 싫습니까? 어떠하신지 개인적 소견을 듣고 싶습니다."

"우리는 우리의 대화의 벽두에서 비슷한 얘기를 했습니다. 달라이라마는 하나의 제도일 뿐이라고요. 왕이니 달라이라마니 세계지도자니 하는 것들은 인간이 인위적으로 만든 것(man-made)입니다. 그것은 모두 세속적인 명칭입니다. 티벹의 국민들이 내가 달라이라마라는 제도적 사실을 받아들이면 나는 달라이라마이고 그런 사실을 받아들이지 않게되면 나는 달라이라마가 아닙니다. 티벹국민들은 16세기 이전에는 달라이라마가 없이도 아주 잘 살았습니다.[135] 그것은 사람이 만든 것이기 때문에 사람의 여하에 따라서 기멸하는 것입니다. 그런데 오늘 아침도 나는 법복을 입고 보리수 밑에 앉아 제식을 행하였습니다. 고요하게 앉아 명상을 하면서 나에게 다가온 느낌은 이것이 나의 운명이구나 하는 양심의 속삭임 같은 것이었습니다. 나의 운명은 내가 승려(monk)라는 사실, 그것 하나입니다. 내가 승려라는 사실은 누구도 변경시킬 수 없는 것입니다. 내가 승려의 계율을 받았고 그 계율을 지키고 있는 한에 있어서는 내가 승려라는 사실을 누구도 나로부터 뺏어갈 수가 없는 것입니다. 중국정부는 나를 비난하여, 분열주의자(splitist), 봉건주의자(feudalist), 거짓말쟁이(Big Lier), 도둑놈(thief), 살인자(murderer), 겁탈자(rapist), 중옷을 뒤집어 쓴 늑대(the wolf in monk's robe)라는 말을 서슴치 않습니다. 그런데 이런 말도 다 인간이 만든 말일 뿐입니다. 내가 승려라는 사실을 조금도 변화시키지 않습니다. 그것은 그들 자신의 멘탈 프로젝션(mental projection)일 뿐입니다. 나를 누가 신이라 부르든, 생불이라 부르든, 관세음보살이라 부르든지 그러한 것은 모두 그들 자신의 멘탈 프로젝션일 뿐입니다. 나는 여전히 도올선생님과 같은 단순한 인간입니다. 그리고 나는 중입니다. 그 이외의 어떠한 것도 아닙니다. 이것만이 진정한 나의 운명입니다."

여기 어찌 나의 사족을 첨가하리오? 또박 또박 공들여 말씀하시는 성하의 어조는 너무도 소박하고 진실했다. 나는 마지막 한 질문을 던졌다.

"성하께서는 어려서부터 어려운 불경공부를 하셨고 많은 요가 · 밀교수행을 하셨고 또 세계를 다니시면서 폭넓은 지식을 흡수하셨습니다. 달라이라마 당신은 분명히 우리시대의 훌륭한 사상가이며 정신적 지도자입니다. 그런데 단 한가지 제가 정말 인간적으로 묻고 싶은 것이 있습니다. 이런 말을 해서 좋을지 모르겠는데, 정말 너무 어리석은 질문 같습니다만, 정말 성하의 내면 속 깊은 정직한 이야기를 듣고 싶습니다. 성하! 당신은 정말 깨달으셨습니까? 정말 깨달으셨다면 그것을 저에게 전달해 주실 수 있습니까?"

나는 떨리는 가슴으로 잔뜩 긴장 속에서 그의 대답을 기다렸다.

“지금 내 몸은 예순하고도 일곱해가 된 몸입니다. 그런데 나의 정신, 나의 생각은 항상 맑고 깨끗합니다. 저는 자라나면서 어느 순간엔가 공이라는 것을 깨달았습니다. 갑자기 세계가 넓어지더군요. 뭔가 이 우주와 인생에 대해 조금 알듯했습니다. 그러면서 시야가 넓어지고, 공이라는 진리는 내가 살아가는 데 매우 유용하다는 것을 알게 되었습니다. 그리고 사물 전체를 보는 습관이 생겼습니다. 그리고 어느 날 자비를 깨달았습니다. 깨달음을 물으신다면, **이 공과 자비를 통해 무엇인가 조금 이 우주와 인생에 대해 통찰을 얻었다는 것**, 그런 것을 말씀드릴 수 있을 것 같습니다.”

나의 눈에는 눈물이 고였다. 그의 답변은 내가 기대한 모든 언어를 초월한 매우 진솔한 한 인간의 이야기였다. 이때 나의 목에는 카타가 걸렸다. 나는 어떠한 종교적 제도와도 타협하고 살지 않을 것이다. 그러나 인류에 대한 자비감의 동포애적 표현으로서 나는 내목에 걸리는 카타를 감사히 받아들였다.

드디어 우리는 기나긴 대화의 자리를 털었다. 궁의 널찍한 홀을 같이 걸어나올 때 달라이라마는 나를 쳐다보며,

“다음에는 북경에서 만납시다!”

라고 말했다. 순간 왜 북경에서 만나자고 하는지 이해가 되질 않았다. 나는 의아스럽게 그를 쳐다보았다. 내가 중국통이라는 것을

배려했음일까? 혹은 서울에서 북경이 가깝기 때문이었을까? 혹은 세계가 하나로 통하는 티벹의 주권이 확립될 수 있다는 신념을 표방하는 것일까? 계속 그를 의아스럽게 쳐다보자 달라이라마는 좀 당황한 듯 어조를 바꾸며 다음과 같이 말했다.

"라사에서?"

나는 그에게 마지막으로 힘주어 말했다.

"포탈라에서 만나죠!"

나의 발자국 소리는 그에게서 멀어져 갔다. 나는 뒤돌아보질 않았다. 찬란한 정오의 햇살 속에 보드가야 대탑이 빛나고 있었다. 인도는 나에게 있어서 끊임없는 미로였다. 인도는 지구상에 존재하는 하나의 대륙이 아니었다. 그것은 끝이 없는 나의 삶의 미로였던 것이다. 인도로 가는 길은 깨달음을 향해 가는 나의 삶의 여정이었다.

이 글은 2002년 5월 7일 탈고 되었습니다.

# 감사의 말씀

이 책이 완성되기까지 나는 많은 사람들의 도움을 얻었다. 내가 도움을 청한 모든 사람들이 헌신적인 배려를 아끼지 않았다. 먼저 나의 인도여행의 모든 여정을 기획해주고 인도의 유적에 관한 정보와 자료를 제공해준 이춘호군에게 감사한다. 도올서원 제1림 재생이며 현재 델리대학 인도미술사과정에서 박사공부를 하고 있다. 탁월한 언어능력으로 매우 소상한 정보를 제공해주었다. 그리고 나의 인도여행을 도와준 메타(Mr. Bharat Mehta)와 그의 가족에게 감사한다. 뭄바이 베이스로 다이아몬드무역에 종사하는 가문의 사람인데 원광대학교 재학시절에 우연히 이리에서 알게되어 훌륭한 우정이 지속되었다. 아주 독실한 쟈이나교도인데 쟈이나교의 현실적 종교관행에 관하여 많은 정보를 얻을 수 있었다. 그리고 대한항공(Korean Air)의 조양호회장님과 나의 여행을 잘 보살펴 준 모든 대한항공직원께 감사한다. 대한항공을 위하여 아주 사소한 조언을 한 적이 있는데 그 보답으로 나의 여행티켓이 제공되었던 것이다. 대한항공이 우리민족의 국위를 선양하는 훌륭한 기업으로 계속 발전하기를 빈다.

그리고 주한인도대사 산토쉬 꾸마르씨(Mr. Santosh Kumar)에게 감사한다. 여행전 인도문명을 이해하는 데 유용한 많은 정보를 제공하여 주었다.

나는 이 책을 준비하고 집필하는 과정에서 많은 사람들과 대화의 시간을 가졌다. 한 인간의 정보수집능력은 한계가 있는 것이다. 각 분야에 정통한 사람들과 대화를 통해서 그 방면으로 천착해 들어갈 수 있는 생각의 실마리를 얻는 것은 매우 중요한 학문의 방법이다. 우선 나는 원시불교에 관하여 가산불교문화연구원의 현원(玄元)스님의 지대한 도움을 얻었다. 내가 필요로 하는, 원시불교에 관한 자신이 소장하고 있는 자료들을 아낌없이 내어주었다. 그리고 연구의 방향도 친절히 지도해 주었다. 그리고 나는 우리시대에 가산(伽山) 지관(智冠)스님과 같은 큰 스승님을 모시고 살 수 있다는 것을 무상의 인연으로 생각한다. 궁금한 것이 있어 문의할 때마다 빙그레 웃으시면서 장경을 펼쳐가며 소상히 가르쳐주셨다. 가산불교문화연구원에서 나오고 있는 『가산불교대사림』(伽山佛教大辭林)은 한국불교의 정맥(正脈)이다. 이 사전이 완성되는 날을 손꼽아 기다린다. 지관스님께서 건강하시기만을 빈다.

팔리어장경에 관한 정보는 주로 고익진선생님의 제자인 최봉수 선생으로부터 습득하였다. 정확한 팔리어 원전의 지식위에서 매우 명료한 해석을 나에게 제공해주었다. 시도 때도 없이 궁금한 것이 있을 때마다 전화로 문의해도 한번도 싫어하는 내색이 없이 성심성의껏 최선을 다하여 대답하여 주었다. 그 호학의 열정을 격려한다. 그리고 밀교에 관하여 나는 두 분의 도움을 입었다. 일본 밀교에 관하여는 허일범선생님과 토론의 기회를 가졌다. 들어가기 어려운 밀교의 세계를 자신의 체험을 통하여 매우 정직하게 펼쳐주었다. 감사하게 생각한다. 그리고 티벧밀교에 관하여는 주민황선생의 도움을 크게 입었다. 주민황선생은 티벧불교의 각방면에 정통한 지식을 가지고 있을 뿐 아니라 자신이 깊은 수련의 체험이 있기때문에 내가 궁금하게 생각했던 많은 미묘한 문제들을 아주 명료하게 설명해주었다. 서양철학의 단단한 배경이 있어서 그런지 사고가 매우 명료하고 애매한 구석이 없었다. 정말 감사하게 생각한다. 티벧불교 전반의 이해에 관하여서는 한국에 체류중인 티벧학승 쵸펠(Chophel)스님의 도움을 얻었다. 쵸펠스님은 힌디어, 티벧어, 한국어, 영어가 유창한 학승으로서 쫑카파의 사상에 정통한 사람이다. 그와의 대화, 그의 저술을 통하여 나는 티벧불교의 정수에 접할 수 있었다. 그리고 이슬람과 중앙아시아의 역사에 관하여 정수일선생님과 깊은 토론의 기회를 가졌다. 정선생님을 통하여 얻은 체험적 정보는 이슬람문화를 근원적으로 새롭게 이해할 수 있는 실마리가 되었다. 세계문명교류사에 천착하고 계신 정수일선생님의 정신세계에 이 자리를 빌어 경의를 표한다.

그리고 마지막으로 동국대학교 역경원에서 나온 한글대장경에 관한 나의 감사를 이 자리를 빌어 표시하고자 한다. 내가 아무리 한문의 대가라 할지라도 한문원전을 읽는다고 하는 것은 매우 비효율적인 과정이고, 정보습득의 정확성이 오히려 보장되지 않을 때가 많다. 타인이 일단 번역해놓은 것을 놓고 반추적으로 원전을 들여다보는 것이 훨씬 더 효율적인 방법이다. 한글은 쉽게 읽을 수 있어 좋다. 동국대학교 역경원에서 나온 한글대장경은 해인사 고려대장경을 기준으로 그 종(種)과 판본을 선택한 것이며, 318책에 이르고 있다. 1965년부터 출간이 시작되어 2001년 4월에 완간되었다. 물론 한글대장경판의 번역이 불비한 경우도 많다. 그러나 나는 한글대장경의 존재로 인해 너무도 소중한 나의 시간들을 절약할 수 있었다. 동국대학교 역경원의 번역작업은 20세기 한국불교의 위대한 역사로서 기념되어야 한다. 그리고 많은 사람들이 한글대장경을 사 볼 것을 권유한다. 대장경을 일단 우리말로 읽어볼 수 있다는 것은 이루 헤아릴 수 없는 기쁨이다. 그리고 318책이래야 큰 돈이 아니다. 불자들이 진정으로 보시를 하고자 한다면 이런 책 한질을 사서 자신의 집 벽을 장식하는 것이 좋을 것이다. 그리하면 두고두고 후손들이 그 복업을 받을 것이다.

끝으로 티벹문화와 관련된 경이로운 사실을 여기 하나 소개하려한다. 1949년 중공이 티벹에 지배의 마수를 뻗치기 시작한 이래 너무도 참혹한 사건 중의 하나는 종교를 인민의 아편으로 규정하는 공산주의 이념아래 6천여 개에 이르는 유서깊은 티벹사원들이 훼멸되었다는 것이다. 이렇게 사원이 훼멸되는 과정에서 많은 고미술품들이 파괴되는 불행한 사태가 벌어졌다. 그리고 망명하는 티벹인 자신들과 또는 약탈하는 중국인들에 의하여 티벹의 유서깊은 문화재들이 세계로 반출되기 시작했다. 이 반출된 작품들 중 수준높은 고미술품들은 이미 5·60년대 구미수집가들에 의하여 소장되었다. 그러나 문화혁명의 열기 속에서 더 많은 훼멸과 반출이 지속적으로 이루어졌다. 그런데 한국의 수장가 한광호(韓光鎬)씨는 일찍이 기마민족설로 유명한 동경대 학자 에가미 나미오(江上波夫, 1906~)선생의 권유로(당시 동경고대오리엔트 미술관 관장) 세계로 흩어지고 있는 티벹예술의 가치에 눈을 뜨기 시작했다. 한광호씨는 주식회사 한국삼공·서한화학·한국 베링거 잉겔하임의 회장으로 건실한 기업의 경영자이다. 한광호씨는 1970년대로부터 구미·중국으로부터 티벹의 탕카·불상·불구·불경들을 수집하기 시작했는데 그 수집품이 2,500여 점에 이르고 있다. 1992년 한빛문화재단이 설립되었고 1999년에는 화정박물관이 개설되었는데, 여기에 수장된 작품은 한국·중국의 고미술을 포함 만여 점에 이르고 있다. 화정박물관의 티벹미술 소장품은 18·19세기 작품을 위주로 한 것이며 15·16세기에까지 소급되는 작품을 포함하고 있으나, 가장 중요한 사실은 이 수집품들을 통하여 우리는 티벹의 문화와 역사, 그리고 티벹인들의 삶과 예술의 향기를 물씬 느낄 수 있다는 것이다. 그것도 우리나라에 소장된 작품을 통하여. 내가 일별한 느낌으로 만다라, 조사도, 여래도, 촉싱, 보살도 등 상당히 정교한 좋은 작품들이 다수 포함되어있다. 그 양과 질에 있어서 전 세계적으로 유례를 보기 힘든 티벹예술의 향연이라 할 것이다. 2001년 일본에서 5개도시 순회전시를 하여 폭발적인 인기를 얻었으며 2003년 9월에 대영박물관에서 권위있는 전시회를 개최할 예정으로 준비작업을 서두르고 있다. 그리고 소장품들을 매우 훌륭한 도록으로 만들어 1997년부터 『탕카의 예술』(*Art of Thangka from Hahn's Collection*)이라는 제목으로 출시하여 일반에게 공개하고 있는데 현재 3권에 이르고 있다. 시중에서 사볼 수 있다. 인쇄의 질이 양호하고 매 그림마다 상세한 설명이 붙어있어 티벹의 종교와 예술을 이해하는 데는 빼어놓을 수 없는 훌륭한 도록이다. 독자들의 관심을 요망한다. 시대를 앞지른 형안으로 스러져가는 티벹예술의 향기를 이 조선 땅에 모아주신 한빛문화재단 한광호 이사장님께 이 자리를 빌어 깊은 감사의 말을 전하고 싶다. 티벹과 한국 양국의 미래에 심원한 영향이 있을 것이다.

그리고 경서원의 이규택사장님께 감사드린다. 필요한 서적을 구입하는 데 성심성의껏 나를 도와주셨다. 마지막으로 동경의 자툴 린포체(Zatul Rinpoche)대사에게 감사하며 달라이라마 방한준비위원회의 제현께 격려의 뜻을 보낸다. 스바하.

## — 註 —

83. 영어의 "심파티"(sympathy)라는 말 속에는 우리말처럼 어떤 일방적인 연민의 뜻이 내포되어 있지 않다. 그냥 같이 느낀다는 "공감"의 뜻이다.

84. 칼라빙카(kalaviṅka)새는 "好聲," "妙聲," "美音," "好音聲鳥" 등의 한역이 있다. 미묘한 울음소리를 내는 새로서 히말라야산이나 극락정토에 사는 상상속의 새이다. 인도의 나이팅게일의 일종인 부루부루새가 이 칼라빙카새의 모습에 실제로 근접하는 이미지를 가지고 있는 것으로 생각되어지고 있다.

85. 여기서 말하는 應身佛(nirmāṇa-kāya)은 내가 앞서 말한 色身(rūpa-kāya)의 개념에 가깝게 오는 것이다. 사실 4세기 중기 대승불교시대까지만 해도 法身과 色身의 二身說밖에는 없었다. 그러다가 法身의 본체계와 色身의 현상계를 연결하는 제3의 개념으로서 報身(saṃbhoga-kāya)이 생겨나 三身佛사상이 되면서, 色身은 應身이라는 개념으로 바뀌어져 불리게 된 것이다.

86. We have become convinced that the story of Jesus is not the biography of a historical Messiah, but a myth based on perennial Pagan stories. Christianity was not a new and unique revelation but actually a Jewish adaptation of the ancient Pagan Mystery religion. This is what we have called *The Jesus Mysteries Thesis.*
Timothy Freke and Peter Gandy, *The Jesus Mysteries* (New York : Random

House, 1999), p.2.

87. 하나님이 그들로 하여금 이 비밀의 영광이 이방인 가운데 어떻게 풍성한 것임을 알게 하려 하심이라. 이 비밀은 이것이다. 너 안에 있는 그리스도요, 그것은 영광의 소망이니라. To them God chose to make known how great among the Gentiles are the riches of the glory of this mystery, which is Christ in you, the hope of glory. 「골로새서」 1:27.

88. IESOUS(10+8+200+70+400+200=888). 희랍어의 각 자모에는 신비적 숫자가 할당되어 있다. 이 숫자를 합치면 888이 된다. 사실 "예수"라는 이름은 매우 평범한 히브리 이름인 죠슈아(Joshua)를 희랍어로 전사하는 과정에서 신비적인 숫자의 느낌을 창출해내기 위해 억지로 꿰어 맞춘 이름이라는 것이다. *The Jesus Mysteries*, p.116.

89. 「마가복음서」의 자료를 「마태」와 「누가」의 기자가 공통으로 참고했음에 틀림이 없다. 그러나 「마가복음서」에 없는 것으로서 「마태」와 「누가」에 공통된 제3의 자료가 약 200줄(verses) 정도 되는데 이것을 신학계에서는 "쿠벨레"(Quelle, 자료)라는 독일어의 첫머리를 따서 "Q자료"(Q material)라고 부른다.

90. 바울이 말하는 "우리 몸 안의 그리스도"와 "우리는 하느님을 모시고 있는 시천주(侍天主)의 존재"라고 하는 동학의 사상은 상통되는 측면이 있을 것이다. 侍者, 內有神靈, 外有氣化, 一世之人, 各知不移者也。「論學文」, 『東經大全』.

91. AD 313년 밀란칙령(the Edict of Milan)으로 기독교는 공인되었다.

92. 화이트헤드는 그의 유기체적 우주론의 구상을 밝힌 대저, 『과정과 실재』의 마지막 장에서 서구인들의 전통적인 신의 관념을 세 가지로 분류하여 요약하고 있다. 그 첫째가 황제의 이미지로서의 신(God in the image of an imperial ruler)이다. 서구세계가 기독교를 받아들였을 때는 마침 시저가 세계를 정복한 후였으며, 따라서 서구신학의 표

준 텍스트는 시저의 법률가들에 의하여 편찬되었다. 그리고 서구교회는 전적으로 시저에게 속해있던 속성들을 신에게 부여했던 것이다. 이집트·페르시아·로마의 황제와 같은 이미지로 신을 만들어 내는 뿌리깊은 우상숭배의 전통이 이미 그 초창기로부터 확립되었던 것이다. 그리고 그 두 번째가 도덕적 에너지를 의인화한 이미지로서의 신(God in the image of a personification of moral energy)이다. 이것은 유대교 전통에 있어서의 예언자상으로 대변된다. 그리고 그 세 번째가 궁극적 철학원리의 이미지로서의 신(God in the image of an ultimate philosophical principle)이다. 이것은 아리스토텔레스의 부동의 사동자(the Unmoved Mover)의 개념이 잘 대변해주고 있다.

화이트헤드의 신은 현실적 존재(Actual Entity)이다. 그것은 창조성(Creativity)과 영원적 객체(Eternal Object)들을 매개하는 기능을 갖는 현실적 존재이다. 그것은 세계 밖에 군림하는 어떤 영원한 명사적 존재가 아니다. 그것은 차라리 이 세계 속에 내재하는 부사적 존재라 할 수 있다. 신은 모든 창조에 앞서(before) 있는 것이 아니며 모든 창조와 더불어(with) 있을 뿐이다. 그것은 모든 새로움의 원천이다. 그것은 이 세계와 대칭적 관계에 있다. 세계가 끊임없이 생성중에 있는 불완전한 것이라면 신 또한 끊임없이 이 세계를 보완하는 생성중의 존재이다. 이 세계가 물리적 파악에서부터 개념적 파악으로 나아간다면, 신은 거꾸로 개념적 파악에서부터 물리적 파악으로 나아간다. 이런 맥락에서 신과 세계는 대칭적(the mirror image)이다. 신이 이 세계를 창조한다고 말한다면 동시에 이 세계는 신을 창조한다고 말할 수 있어야 하는 것이다. A. N. Whitehead, *Process and Reality*, corrected edition (New York : The Free Press, 1978), pp.342~351. 화이트헤드의 신의 개념은 매우 난해하다. 우리말로 그것을 가장 정확히 파악할 수 있게 하는 책으로서는 사계의 권위인 문창옥의 두 책을 들 수 있다. 문창옥, 『화이트헤드철학의 모험』(서울: 통나무, 2002), pp.101~124, "화이트헤드의 철학과 종교"와 문창옥, 『화이트헤드과정철학의 이해』(서울 : 통나무, 1999), pp.85~112, "형성적 요소: 창조성, 영원적 객체, 신"을 보라.

93. While the Jesus Mysteries Thesis clearly rewrites history, we do not see it as undermining the Christian faith, but as suggesting that Christianity is in fact richer than we previously imagined. The Jesus story is a perennial myth with the power to impart the saving Gnosis, which can transform each one of us into

a Christ, not merely a history of events that happened to someone else 2,000 years ago. *The Jesus Mysteries*, p.13.

다행스럽게도 이 책은 후에 승영조에 의하여 『예수는 神話다』(서울 : 동아일보사, 2002)라는 제목으로 번역·출간되었다. 그러나 상세한 주가 번역되어 있질 않고 전문용어 선택에도 문제가 있어 원서의 파우어를 충분히 전달하지는 못하고 있다. 완역으로 간주될 수 없다. 신화학자 이윤기는 말한다: "이 책의 내용이 충격적이라기 보다는 이 책이 대한민국이라는 풍토에서 번역되어 읽힐 수 있고 또 공개적 토론의 대상이 될 수 있게 되었다는 것이 더 충격적이다." 한국의 뜻있는 기독교인들에게 이 책의 본지가 깊게 이해되기를 바란다. 이 책의 내용은 분명 불트만신학의 가설을 뛰어 넘고 있다.

94. Dalai Lama, Robert Kiley, *The Good Heart — A Buddhist Perspective on the Teachings of Jesus*, Somerville : Wisdom Publications, 1998. 이 책은 류시화에 의해 우리말로 번역되었다. 『달라이 라마 예수를 말하다』, 서울 : 나무심는사람, 2000.

95. 아크바르 대제는 "딘 이 일라히"(din-i-Ilahi)를 1582년에 반포하였다. 그러나 결국 아무런 추종세력도 못얻었고 그의 사후에는 흐지부지해지고 말았다. 특히 이슬람신민들의 불만이 컸다. Bamber Gascoigne, *The Great Moghuls*, p.115.

96. 암베드까르(Bhimrao Ramji Ambedkar, 1891~1956)는 불가촉천민(the Untouchable)의 출신임에도 불구하고 새로 탄생된 인도공화국의 초대법무장관을 지냈을 뿐 아니라, 실제로 인도공화국(Republic of India)의 헌법을 기안했다. 그러니까 인도가 영국식민지에서 벗어나 근대국가로 태동되는 과정에서 인도사회의 가장 고질적인 병폐인 카스트의 문제를 한 몸에 구현하고 투쟁한 인물이라고 할 수 있다. 불가촉천민 부모의 14번째 자식으로 태어난 암베드까르는 학교에서 높은 카스트의 아이들에게 굴욕을 당하면서 성장한다. 그의 아버지는 인도군대의 장교였다. 암베드까르는 봄베이에서 대학을 나오고 뉴욕의 콜럼비아대학에서 경제학박사를 획득했고 그 뒤로 영국과 독일에서도 계속 공부했고 변호사자격을 획득했다. 1924년 그는 봄베이에서 변호사활동을 개시하면서 불가촉천민의 사회적 지위향상을 위해서 복지활동과 저널운동을 전개하였다. 1927

년에는 불가촉천민의 권리를 확보하기 위한 사티야그라하(Satyagraha 진리파지운동)를 전개하였고 1937년, 봄베이 고등법원에서 불가촉천민의 권리와 관련하여 승소하는 쾌거를 올렸다. 암베드까르는 간디와 함께 불가촉천민(Untouchables)이라는 이름을 "하리잔"(Harijans, Peoples of God)으로 바꾸고 공동의 목적을 향해 매진하기로 하였지만 간디와 적지 않은 긴장관계를 유지하기도 하였다. 불가촉천민의 독립된 선거구를 요구하였기 때문이다. 1947년 초대법무장관이 되어 불가촉천민에 대한 차별을 불법화시키는 조항을 명시한 인도공화국의 헌법을 기안하였고 그것을 성공적으로 국회에 통과시키는 데 수완을 발휘하였다. 1951년 인도정부내에 그의 영향력이 배제되는 것을 개탄하고 사임하였다. 그렇지만 그는 근대인도사회에 사회평등과 사회정의의 개념을 법적으로 각인시키는 데 기념비적인 역할을 하였다. 1956년 10월, 힌두교의 미래에 절망감을 느낀 나머지, 나그푸르(Nāgpur)에서 불가촉천민 20만명과 함께 불교도로 개종하는 제식을 올렸다. 현재 인도사회에서의 불교에 대한 인식은 암베드까르와 밀착되어 있다. 이것은 긍정적인 시각에서 해석되어야 하겠지만, 불교를 불가촉천민의 종교로 낙인을 찍는 부정적인 측면도 강하다는 것을 부인할 수 없다. 지금도 불가촉천민들이 많이 사는 동네 어느 곳에서든지 암베드까르의 흉상을 쉽게 찾아볼 수 있다.

97. 끄샨띠바딘 리쉬(Kṣāntivādin ṛṣi)는 "忍辱仙人"이라는 뜻이며 유명한 본생담의 주인공이다. 물론 싯달타의 전신 중의 하나다. "羼提波梨"로 음역된다. 그 이야기는 나의 『금강경 강해』를 참조하는 것이 좋을 것이다. 『도올 김용옥의 금강경 강해』(서울 : 통나무, 1999), pp.278~281.

98. Peter Singer, *Hegel* (New York : Oxford University Press, 1983), pp.1~2. J. N. Findlay, *Hegel* (New York : Oxford University Press, 1976), pp.330~1.

99. 함족·셈족어군(Hamito-Semitic languages)은 "Semito-Hamitic," "Erythraean," "Afro-Asiatic," "Afrasian languages"로 불리기도 한다. 그 조형은 기원전 6~8천년경 사하라사막지역에 있었다고 추정되는 것이다. 이 언어는 세미틱(Semitic), 에집티안(Egyptian), 버버(Berber), 쿠쉬틱(Cushitic), 챠딕(Chadic)의 5개 지류로 분류된다. 원래 셈(Sem)이니 함(Ham)이니 하는 말들은 노아의 세 아들 중에서 첫째아들과 둘째아

들의 이름에서 유래된 것이다. 노아의 맏아들 셈으로부터 앗시리아인, 아라비아인, 아람인, 히브리인이 나왔고, 함으로부터 에티오피아인(구스인), 에집트인(미쓰렘인), 리비아인, 가나안인이 나왔다고 얘기되지만 이 모두가 정확한 구분근거를 가지는 학설은 아니다.

100. 바로 이러한 문제의식을 아리안계 국가주의에 저항하는 토착적인, 혈연중심의 종족사회(=씨족공동체)의 가치체계와 관련지어 집요하게 추구해 들어간 명저가 미야사카 유우쇼오의 하기서이다. 宮坂宥勝, 『佛教の起源』, 東京 : 山喜房, 1987.

101. 이러한 방면의 매우 포괄적이고 계발적인 논의는 죠세프 니이담의 다음 글을 참조하는 것이 좋다. Joseph Needham, "Human Law and the Laws of Nature in China and the West," *Science and Civilization in China* (Cambridge : Cambridge University Press, 1970), pp.518~583.

102. 남방의 5대 언어문화권: 1) Tamil 2) Kannaḍa 3) Malayālam 4) Telugu 5) Oriyā 그리고 북방의 10대 언어문화권: 1) Assamese 2) Bengali 3) Gujarātī 4) Hindī 5) Kashmīrī 6) Marāṭhī 7) Punjābī 8) Sanskrit 9) Sindhī 10) Urdū.

103. 경덕왕(景德王) 창건 당시 이 석굴의 이름은 석불사(石佛寺)였다. 김대성(金大成, 700~774)의 발원에 의하여 이 석굴사원의 공사가 시작된 것은 경덕왕 10년(751)이었다. 그 뒤로 약 30년에 걸쳐서 공사가 마무리된 것으로 보인다. 黃壽永 編著, 『石窟庵』(서울 : 藝耕産業社, 1980), pp.18~20.

104. 여기 환조(丸彫)라는 말은 부조(浮彫)와 대비되어 쓰이는 미술사의 용어인데, 그것은 좌우앞뒤 4면을 모두 조각한 통조각 작품이라는 뜻이다. 초기불상들을 잘 살펴보면 환조같이 보이는 것도 실상은 뒷면이 처리가 안된 부조(relief)일 경우가 많다. 벽에 조각해 들어갈 때는 환조이기가 어려운 것이다. 간다라 · 마투라의 불상들이 모두 부조작품에 속하는 것이며 환조는 그 이후의 발전이다. 벤자민 로울랜드 지음, 이주형 옮김, 『인도미술사』(서울 : 예경, 1999), p.125.

그리고 석굴암의 본존(本尊)의 명호(名號)에 관하여 여러가지 논의가 있으나 이 본존은 그냥 소박하게 석가모니 부처로 보는 것이 타당하다. 황수영(黃壽永)선생은 석굴암 본존이 아미타불(阿彌陀佛)임이 틀림없다고 주장하지만, 그러한 주장의 근거가 되는 모든 자료가 선생 자신의 관념적 주장을 정당화하기 위해 억지로 꿰어맞춘 방계적 자료에 불과하다는 혐의를 모면하기 어렵다. 그리고 석굴암을 애써 정토신앙의 표현으로 볼 필요는 없을 것 같다. 그러한 주장은 오히려 정토신앙의 전통이 강한 일본불교학의 영향일 수도 있다. 그리고 그러한 방계적 자료에 의하여 석굴암 본존이 아미타불임을 역설하는 것은 석굴암을 창건한 사람들의 의도를 기복신앙적인 발원에 귀속시킬 뿐 아니라 본질적으로 석굴암의 격을 떨어뜨릴 수도 있다. 이것은 분명 십대 제자를 거느린 역사적 싯달타의 32상 색신이며, 마귀를 누르고 성도한 법신불의 모습이며, 관세음보살과 같은 세상의 고통의 소리를 들을 줄 아는 수없는 보살들의 보신불이다. 석굴암은 이러한 삼신을 총체적으로 구현한 불법의 완정한 표현으로 보아야 한다. 그리고 그것은 어느 유형으로도 환원될 수 없는 매우 독창적인 것이며 특정 종파의 성격을 구현한 것으로 볼 수 없다. 본존 뒤에 있는 관세음보살도 아미타불의 협시보살(脇侍菩薩)로서 그려졌다면 대세지(大勢至) 보살과 함께 협시되는 형태로 표현되었을 것이다. 그것은 정토사상과는 무관하게 이미 AD 1세기부터 형성된 관음사상의 독자적인 표현일 뿐이다. 선대 학자들의 학문적 성과는 당연히 존중되어야 하지만 때로는 엄밀한 비판적 검토가 요청된다. 황수영선생의 주장은 黃壽永 編著, 安章憲 寫眞, 『石窟庵』, pp.29~33에 잘 요약되어 있다.

105. 마하데바사원(The Temple of Mahadeva)이라고 불리는 이 엘레판타섬의 성전의 특징은, 인도의 여타 사원이 대개 에클렉틱한(혼합적인) 성격을 지니는데 반하여, 오직 시바신 일신에게만 봉헌되었다는 것이다. 이 성전안의 모든 것이 오로지 시바신과 관련된 것이다. 이것은 곧 이 시대에 이 지역에 이미 독립적인 시바숭배교(Saivism)가 정착되어 있었음을 입증하는 것이다. 20개의 거대한 석주가 떠받치고 있는 십자형의 공간구조(the cruciform temple)의 정남면 석벽에 자리잡고 있는 본존에 해당되는 이 마헤사무르띠(Mahesa-murti)의 장쾌한 얼굴은 삼면이지만 실제로는 5면의 얼굴로서 이해되고 기술된다. 본당을 들어서서 마주볼 때, 오른쪽 얼굴이 평정의 따뜨뿌르샤(Tatpursha), 왼쪽 얼굴이 진노의 아고라(Aghora), 그리고 중정의 영원한 모습이 바마데바(Vamadeva, 반데바[Vandeva]로 불리기도 한다)이다. 그런데 부조이기 때문에 드

러나지 않지만, 바마데바의 정 뒷면에 사됴자타(Sadyojata)가 있고, 머리쪽 정수리에는 또 이샤나(Ishana)가 있다고 한다. 이 다섯 얼굴은 시바의 다섯 측면, 다섯 성격이나 무드를 나타낸다고 한다: 창조(creation), 유지(maintenance), 파괴(destruction), 감춤(concealment), 사랑(favour). Owen C. Kail, *Elephanta — The Island of Mystery* (Bombay : Taraporevala, 1984), p.12. 그리고 Carmel Berkson, *Elephanta — The Cave of Shiva*, Delhi : Motilal Banarsidass Publishers, 1999도 엘레판타 사원에 관한 희소한 자료 중의 하나이다.

106. 라바나(Ravana)는 라마(Rama)의 부인 시타(Sita)를 유괴한, 서사시『라마야나』의 한 주인공으로도 유명하다. 이 조각은 북쪽입구에서 동쪽면으로 두 번째 남면하고 있는 벽에 조각되어 있다. 가슴 아프게도 파손이 너무 심하여 그 원형을 제대로 알아보기 어려울 지경이다.

107. 이 자웅동체(the Androgyne)의 시바의 모습에는 여러가지 신화적 설명이 얽혀 있다. 나는 그 중의 하나의 설만을 취한 것이다. Carmel Berkson, *Elephanta — The Cave of Shiva* (Delhi : Motilal Banarsidass Publishers, 1999), pp.34～5.

108. 이 엘레판타섬의 석굴에는 그 건조의 시대성을 추정할 만한 하등의 단서도 남아 있지 않다. 이 지역에 성립했던 찰루캬스 왕조(the Chalukyas, 543～744)시대에 조성된 것인지, 그를 이은 라슈트라쿠타스 왕조(the Rashtrakutas, 752～982)시대 때 완성된 것인지를 확정할 길도 없다. 그러니까 크게 보면 우리나라 석굴암과 동시대의 작품이다. Owen C. Kail, *Elephanta*, pp.2～3.

109. 까네리사원(Kanheri Caves)은 뭄바이의 북쪽 산제이 간디 국립공원(Sanjay Gandhi National Park) 중심부의 울창한 숲속에 자리잡고 있다. 이 석굴들도 차이띠야와 비하라로 조성된 것이며, BC 2세기경부터 AD 9세기경까지 소승·대승·금강승의 불교승려들이 꾸준히 지켜온 중요한 승려주거집단이다(one of the larger monastic settlements in India). David Collins, *Mumbai* (Melbourne : Lonely Planet Publications, 1999), p.155.

110. 석지현 옮김, 『숫타니파타』(서울 : 민족사, 2001), p.274. 제5품의 제7장이다. 『南傳』 24-406~7. No. 1076.

111. 이러한 문제를 다룬 사계의 권위로운 저작으로 타카타 오사무(高田修)의 『佛像の起源』, 東京 : 岩派書店, 1967이 있다. 타카타 오사무는 이 책의 내용을 요약하여 쉽게 사람들이 접근할 수 있도록 岩派新書의 문고판을 내어놓았다: 『佛像の誕生』, 東京 : 岩派新書, 1987. 그런데 이 책은 이숙희에 의하여 우리말로 번역되었다: 타카타 오사무 지음, 이숙희 옮김, 『불상의 탄생』, 서울 : 예경, 1994. 타카타의 이 책은 사계의 정평있는 명작이므로 독자들의 일독을 권하고 싶다. 이숙희의 번역도 충실하다. 그리고 인도미술 전반에 대하여 포괄적 지식을 주며 원시불교미술을 잘 소개하고 있는 좋은 책이 파이돈 미술 시리이즈에 들어가 있다. Vidya Dehejia, *Indian Art*, London : Phaidon, 1998. 그런데 이 책도 이숙희에 의하여 번역되었다. 정교한 사진들이 많이 실려있는 좋은 책이므로 독자들의 일독을 권유한다. 불교미술에 관해서는 3장에서 5장까지를 참조하면 큰 도움이 될 것이다. 비드야 데헤자 지음, 이숙희 옮김, 『인도미술』, 서울 : 한길아트, 2001.

그리고 쉽게 사서 볼 수 있는 책으로 인도미술사에 관한 좋은 가이드를 하나 더 소개하면: Roy C. Craven, *Indian Art, A Concise History*, New York : Thames and Hudson, 1997. 제3장으로부터 제7장까지 불교미술관계의 설명이 매우 명료하다.

112. 이 "이슬람 六信"에 관하여서는 정수일 선생의 다음 글을 참고할 것: 깐수 정수일 박사의 이슬람문명산책, "종교와 세속생활의 지킴 이슬람교의 여섯 가지 믿음," 『신동아』(서울 : 동아일보사, 2001년 11월호), pp.443~457. 이슬람의 전반적 이해를 위하여 나는 다음의 세 책을 참고하였다. 김용선, 『코란의 이해』, 서울 : 민음사, 1991. 金定慰, 『이슬람사상사』, 서울 : 민음사, 1991. Karen Armstrong, *A History of God*, New York : Ballantine Books, 1993. 이 중 암스트롱의 책은 유대교와 기독교와 이슬람의 4천년의 역사를 추구한 책인데 이슬람부분의 해설이 편견없이 잘 서술되어 있다. 그리고 이론적 깊이가 있다.

113. 카쉬미르(Kashmir)와 라다크(Ladakh)는 모두 인도—파키스탄의 국경분쟁으로

끊임없는 불안에 싸여있는 지역이다. 인・파 쌍방에서 그 영토권을 주장하지만, 현재 인도의 펀잡(Punjab), 히마찰 쁘라데쉬(Himachal Pradesh) 위쪽 최북상에 잠무 앤 카쉬미르(Jammu and Kashmir)라는 하나의 주로서 자리잡고 있다. 카쉬미르계곡은 아주 풍족한 토양에 격절된 느낌을 주는 아름다운 곳이며 17세기 무갈의 황제 자한기르가 그림과도 같이 아름다운 정원이 있는 여름 별궁을 지은 곳으로도 유명하다. 카쉬미르는 지금도 회교도 인구가 60%를 넘는다. 우리가 지금 입는 고급 모직 캐쉬미어는 본시 이 지역에서 생산되던 카쉬미르 숄(Kashmir shawl)이 16세기부터 유럽에 알려지면서 유명한 브랜드가 된 사실에서 유래하는 것이다. 카쉬미르 숄은 본시 야생 염소의 털로서 만든 것이었다.

라다크(Ladakh)는 행정적으로는 잠무 앤 카쉬미르에 속해있지만 독립적 전통을 갖는 또 하나의 문명이다. 서 히말라야산맥과 티벹고원을 연결하는 고지대의 통로로서 지구상의 마지막 샹그릴라(the last Shangri-la)라는 별명이 붙을 정도로 아름다운 곳이다. 이 지역은 일찍이 14세기말에 쫑카파가 방문한 적이 있는데 그 이래로 티벹불교의 영향이 강한 곳이다.

114. 高田修, 『佛像の誕生』, pp.205~7. 이숙희 옮김, 『불상의 탄생』(서울 : 예경, 1994), pp.202~4.

115. 『佛像の誕生』, p.109. 『불상의 탄생』, p.112.

116. 간다라예술과 마투라예술에 관하여 내가 참고한 책을 두세 권만 소개한다. 생각보다 이런 방면으로 연구서적들이 희소하다. 인도에서 매우 어렵게 구한 책들이다. Sir John Marshall, *The Buddhist Art of Gandhāra*, New Delhi : Munshiram Manoharlal Publishers, 2000. R. C. Sharma, *The Splendour of Mathura Art and Museum*, New Delhi : D. K. Printworld Ltd., 1994. Bérénice Geoffroy-Schneiter, *Gandhara, The Memory of Afghanistan*, New York : Assouline Publishing, 2001. 그리고 벤자민 로울랜드가 지은 『인도미술사』의 제8장 간다라, 제9장 마투라도 탁월한 개관이다.

117. 『금강경』은 『能斷金剛般若波羅蜜多經』으로도 불리우는 반야경전 중의 하나이다. 이 경전의 성립연대에 관해서는 AD 150～200년 사이라는 나카무라 하지메(中村元) 선생의 설을 따랐다. 나는 동경대학 재학시절에 나카무라 선생의 강의를 몇 번 청강한 적이 있다. 中村元・紀野一義 譯註, 『般若心經・金剛般若經』(東京 : 岩派書店, 1997), p.202.

118. 김용옥 지음・법정스님 서문, 『도올 김용옥의 금강경강해』(서울: 통나무, 1999), pp.193～206.

119. 『도올 김용옥의 금강경강해』, pp.257～262.

120. 이 반야경전의 성립과정에 관해서는 나는 다음의 책을 참고하였다. 카지마야 선생의 본저는 반야사상을 정말 깊이있게 요약한 명저라 할 수 있다. 독자들의 일독을 권유하고 싶다. 梶山雄一, 『般若經—空の世界』, 東京 : 中公新書, 1987. 반야경전의 시대고증은 pp.104～5에 요약되어 있다.

121. 이 장면은 나의 책, 『話頭, 혜능과 셰익스피어』(서울 : 통나무, 1998), pp.68～69에 잘 소개되어 있다. 이 책은 禪의 최고경지를 모은 백 개의 공안집, 『碧巖錄』중에서 6개 공안을 강의한 것이다. 선사들의 치열한 모습들이 장엄한 드라마처럼 전개되고 있다.

122. 나중에 티벧사람들에게 녹음테이프를 들려주고 확인해본 결과 내 귀에 들린 "카조다"라는 말은 카리싸(qa re sa, 뭐라고?), 카리세고레(ga re ser go ray, 뭐라고 할까?)라는 말을 내가 잘못 들은 것으로 판명되었다. 즉 영어로 말문이 막히실 때마다 라크도르 스님께 "그걸 뭐라고 말해야 좋지?"하고 물어보신 말씀이었던 것이다.

123. "悉達"에는 "싯달타"라는 뜻과 "다 이루었다"는 뜻이 겹쳐있다.

124. "諸行は壞法なり." 『남전』 7-144. "만들어진 것은 모두 변해가는 것이니라."

강기회역, 『대반열반경』, p.152.

125. 도올 김용옥 지음, 『노자와 21세기 I 』(서울 : 통나무, 1999), pp.26~84.

126. Actually, nirvana is completely the purified state of one's own mind. It is the ultimate nature of mind that has removed all afflictive emotions. His Holiness the Dalai Lama, *The Transformed Mind* (New Delhi : Penguin Books India, 1999), p.181.

127. 힌두이즘과 카스트의 관계, 그리고 카스트 자체에 대한 정치 · 종교 · 사회적 의미를 아주 명료하게 잘 해설한 것으로 킨슬리의 저서를 들 수 있다. David R. Kinsley, *Hinduism — A Cultural Perspective*, New Jersey : Prentice Hall, 1993. 제5장과 제8장을 참고할 것.

128. Bertrand Russell, *A History of Western Philosophy* (New York : Touchstone Book, 1972), p.32.

129. 티벹스님들의 좌탈사례에 관한 이야기는 과장된 기술이 많다. 예를 들면 반년 동안을 꼿꼿이 전혀 썩지 않고 앉아 있었을 뿐 아니라 그 기간 동안에 수염도 자란다는 것이다. 그러나 여기 달라이라마의 말씀은 비교적 그런 식의 과장된 표현이 없어 좋았다. 뇌사로부터 그 다음 환생의 기간을 보통 49일로 잡는데 그 기간의 상태를 바르도(Bardo)라고 부른다. 중유(中有), 중음(中陰)이라고 번역된다. 바르도의 여행에 관한 유명한 책이 에반스 벤츠가 편찬한 『티벹 死者의 書』이다. 밀교수행의 핵심은 살아있는 동안에 이 바르도의 상태를 체험하는 것이다. 그렇게 함으로써 환생의 기회에 당황치 아니 하고 보다 좋은 조건의 선택을 할 수 있게 되는 것이다. W. Y. Evans-Wentz, *The Tibetan Book of the Dead*, Varanasi : Pilgrims Publishing, 출판연도 불표시. 이 책은 1927년 옥스퍼드대학 출판부를 통해 처음 소개되었다.

130. 앞서 말한 바르도(Bardo)의 다른 이름. 중음(中陰)이라고도 번역된다. 사유(死有)와 생유(生有)의 중간으로서의 중유(中有)이다.

131. David Attenborough, *The Private Life of Plants*, Princeton : Princeton University Press, 1995. 과학세대 옮김, 『식물의 사생활』, 서울 : 까치, 1995.

132. Max Horkheimer and Theodor W. Adorno, *Dialectic of Enlightenment*, New York : Seabury, 1972. Max Horkheimer, *Critical Theory*, New York : Seabury, 1972. Max Horkheimer, *Eclipse of Reason*, New York : Seabury, 1974.

133. Jürgen Habermas, *Theory and Practice*, Boston : Beacon, 1973. Jürgen Habermas, *Knowledge and Human Interests*, Boston : Beacon, 1971. *Habermas and the Unfinished Project of Modernity*, ed. by Maurizio Passerin d'Entrèves and Seyla Benhabib, Cambridge : the MIT Press, 1997.

134. 子曰: "十室之邑, 必有忠信如丘者焉, 不如丘之好學也。" 『論語』 「公冶長」 5-27. 공자께서 말씀하시었다: "열가호 쯤 되는 조그만 마을에도 반드시 나와 같이 충직하고 신의 있는 사람은 있을 것이다. 그러나 나만큼 배우기를 좋아하는 사람은 없을 것이다." 『도올논어 3』(서울 : 통나무, 2001), pp.309~311.

135. 달라이라마라는 제도는 실제적으로 제3대 달라이라마 소남갸초(bSod nams rgya mtsho, 1543~1588)로부터 시작된 것이다. 제1대와 제2대는 제3대로부터 추증된 것이다.

# 색　인

【ㄱ】

가네샤(Ganesa)　518, 531
『가락국기』　427
가부좌　41, 85, 86, 98, 101, 123, 148, 506
가사계(可思界)　61
가시계(可視界)　61
가야국　284～7
가즈니의 마호무드　152
간다라(Gandhara)　11, 266, 267, 636, 637
간다라-마투라 예술양식　643
간덴사원(dGa 'lden)　291, 566
간디와 프레케　516～29, 553
간지스강(강가)　23, 26, 119, 131, 143, 191, 201, 214, 312, 315, 387, 504
갈홍(葛洪)　362
감관적 세계　60
감은사지　371, 376～83
객관적 이성(Objective Reason)　706
걸식　548
게이트웨이 어브 인디아(Gateway of India)　310, 598
겔룩파　288～95, 447, 566
격의불교(格義佛教)　550
경(敬)　183
계몽주의(Enlightenment)　580, 676
고(苦)　24, 26, 34, 68, 178, 202
고과(苦果)　27
고독　68, 69, 73, 75, 76, 210
고락크뿌르(Gorakhpur)　453
『고려사』(高麗史)　84
고존(孤存)　68, 554
고팔간즈(Gopalganj)　414
고행(苦行)　11～14, 35～50, 67～81, 109～127, 142, 149, 154, 187, 188
고행주의　41, 125
공(空, śūnya)　263, 645, 666, 713
공자(孔子)　710
공자의 묘　360
공산당정권　674
과보(果報)　25, 31, 32
『과정과 실재』　535
과학　157～63, 580～6, 670, 683
관세음보살　606, 607, 712
관세음보살의 현신　511, 606
관자재(觀自在)보살　606
구세주(Savior)　582
구르왕조의 무하마드　152
『구약』　516
구업(口業)　32, 126, 653
구원(salvation)　584
구자라트양식　310, 542, 556

궁극적 관심(Ultimate Concern) 542
궁극적 실재 53, 55
귀네쓰 팰트로우(Gwyneth Paltrow) 441
귀면기와 322
그노시스(Gnosis, 영지) 522, 527, 586, 587, 665, 666
그레코-로망 521, 580, 596
그리스 46, 104, 108
그리스도(Christ) 108, 525～7, 538
『그리스도의 마지막 유혹』 104, 525
근대적 인간(Modern Man) 581, 703
근본불교 90, 131, 136, 139, 144, 179, 217
『금강경 강의』 469, 474
『금강경』 469, 476, 642, 643
금강계단(金剛戒壇) 634
『금강반야경』 645
『금강반야바라밀경』 295
금강보좌 86, 98, 384, 405, 617, 635, 652
금강역사 601
금강저(Vajra) 82
금관 가야 285
금당(金堂) 374, 376, 383
기독교 16, 49, 56, 58, 61, 138, 139, 352, 433, 445, 446, 500, 517, 527～597, 628～31, 658, 665, 667, 690
기독교의 열반 138
기어슨경(Sir George Gierson) 597
기철학적 우주관 22
길상(吉祥) 85
김병모 427
김활란 654
까네리 불교사원석굴(Kanheri Caves) 615
깨달음 38, 41, 67～73, 98, 121～8, 139, 142～58, 167, 168, 173, 179, 180
꼴후아 라뜨(Kolhua Lat) 394
『꾸란』 271, 274, 421, 546, 593
꾸와트 울 이슬람 마스지드 158
꾸틉 미나르(Qutb Minar) 150～3, 158, 472
꾸틉 웃딘 아이바크 153, 158, 472
꿈브멜라 283
끄샨띠바딘 리쉬 566
끼르띠무카 322

【ㄴ】

나가르쥬나(龍樹) 39, 540, 588, 645
나다니엘 호돈(Nathaniel Hawthorne) 576
나우시카 77
나이란자나강(尼連禪河) 9, 34, 35, 69, 74, 77, 98, 187, 266, 268, 425
나폴레옹 570
나하그 함마하디 영지주의 문서(the Nag Hammadi Gnostic Library) 516, 528, 553
낙과(樂果) 26, 27
난다 76
난다발라 76
난디(Nandi) 325, 326, 329, 531, 612, 615, 637
날란다대학 704
『남경』(南京) 302
남근숭배(phallic cult) 529
남아어족(Austro-Asiatic) 597
『남전대장경』 575
내세(next life) 584
네루 466, 591
네오플라토니즘(neo-Platonism) 532
노아의 방주 516
노예왕조(Slave Dynasty) 153, 329, 472
노자(老子) 49, 596

녹야원 346, 404
농경문화 17
누르 자한(Nur Jahan) 271
『능가경』 148
니그로이드(Negroid) 597
니까야 90, 145, 196
니이체 557
『니쥬우욘 노 히토미』(二十四の瞳) 421
니케아 종교회의(Council of Nicaea) 58, 532
니콜라스 케이지 47
『니혼쇼키』(日本書紀) 427

【ㄷ】

"다 이루었다" 88
다람살라 294, 305, 438, 445, 467, 651
다르마(Dharma) 580, 678
다보탑 363, 377
단군신화 82, 83, 84
단하(丹霞, 天然) 646
달라이라마 268, 282, 290, 291, 294, 295, 296, 300, 301, 303, 311, 403, 409, 411, 423, 424, 429, 430, 434, 435, 438, 439, 446, 448, 465, 479, 505～17, 522～714
담마의 정치 323～7
『대당서역기』 285, 401, 633, 644
『대반열반경』 334, 342, 356, 359, 364, 365, 382, 515
대반열반사 339, 351
대보리사원(Mahabodhi Temple) 402
『대비파사론』 638
대성사(大聖寺) 458
대성석가사(大聖釋迦寺) 457
대승불교 28, 41, 91, 96, 98, 120, 179, 189, 195, 520, 566, 571, 573, 632～47, 685, 694
대승불교의 불상운동 615
대승비불설(大乘非佛說) 647
대중부 632
댜나(dhyāna, 禪) 42, 182
『더 굳 하트』 538
데카르트적인 이원론 699
델리 305, 326, 413, 452, 471, 472
도(道) 49, 55, 178, 179, 550
도마(Thomas) 597
도문(道文)스님 458
『도올의 금강경 강해』 459
독존의 독각 69
돈오 60, 126, 189
돈황 601
동굴의 비유 61, 138
『동양학 어떻게 할 것인가』 474
동일성의 지속 695
동터키스탄 637
동학 533, 534
두르가(Durga) 353
두보(杜甫) 216
드라비다족 24, 571, 597
등신불 340, 341, 384
디오니수스(Dionysus) 522
『디파왕사』(*Dīpavaṃsa*) 396
따즈 마할 270, 271, 273, 274, 311, 471, 472, 593
따즈 마할 호텔 311
뚜글라크 왕조 176, 177, 184～7
뚤꾸(trulku) 694

【ㄹ】

라다크(Ladakh) 629
라마(Rama) 285, 531
『라마야나』 285
라바나(Ravana) 610, 613
라사 290, 300, 435, 714
라스베가스 47
라즈가트(Rajghat) 595
라크도르 스님 505, 648, 650, 652
라호르(Lahore) 11
라훌라 550
락슈마나(Lakshmana)사원 110, 330
락슈미 324
랄 낄라(Red Fort) 102, 176
람쿤드(Ram-Kund) 394
레오3세(Emperor LeoⅢ) 631
로고스(Logos) 61, 527, 532～4
로마제국 534, 535, 555, 561, 630
『로미오와 쥴리엣』 522
롭상 삼텐(Lobsang Samten) 423
루 쉰(魯迅) 298
룸비니 88, 167, 219, 261, 343, 344, 430, 453, 457～9, 572, 576
르네쌍스 580, 587, 631
리즈 데이비즈(T. W. Rhys Davids) 574
리터랄리스트(the Literalists) 531～4, 561
릿챠비종족 194, 359
링감(Lingam) 329, 529, 531

【ㅁ】

마가다왕국 312～8
마니 바완(Mani Bhavan) 678
마니교 554
마니카르니카 가트 119
마돈나 563
마라의 세딸 110～3
마명(馬鳴)보살 638
마스지드(모스크) 627
마애불 644
마야부인 517, 518
마왕 파순 74, 101, 107～13, 188
마우리야왕조 312, 317, 319, 333, 572
마투라(Mathura) 267, 636
마하데바 사원 600
『마하바라타』 19
『마하박가』 128, 142, 172
마하보디 스투파(대각탑) 99, 311, 400, 406, 714
마하보리사 404
마하비라 33, 95
『마하승기율』 389
『마하왕사』 396
마하트마 간디 275, 283, 310, 318, 392, 595
마하트마 간디 다리 316
마헤사무르띠(Mahesamurti) 610, 611
마힌다(Mahinda, Mahendra) 399
만다라(曼荼羅) 292, 293, 542, 648
만리장성 333
말라바르 언덕(Malabar Hill) 448
말라족 357
"말탄 세계정신이 간다!" 570
맑시즘 676
매장(interment) 348～55, 360
메카 471
명상(meditation) 584
명선행(明善行) 보살 459
"모두 이루었다" 88

모세 627
모택동 300, 466, 564～571, 577
목샤(mokṣa, 해탈) 15, 24, 25, 34, 37, 48, 69
몽골로이드(Mongoloid) 597
묘(廟) 365
무굴제국 102, 187, 270, 273, 275, 316, 318, 471, 472, 541
무드 스투파(Mud Stupa) 359
무드셀라 91
무명(無明 avydyā) 166～177
무비스님 469, 474, 475, 476, 478
무상정등정각 77, 82, 101, 121, 153
무소유의 실천 548
무신론(atheism) 532, 557, 581, 582, 583, 584, 646
무아(無我 anātman) 22, 66, 100, 131～8, 177, 185, 213, 215～7, 341, 567, 687
무아행(無我行) 263
무여열반 47, 120
무위(無爲) 550, 596
무자성(無自性) 687
무주처열반(無住處涅槃) 121, 681
무착(無着) 287
무표업(無表業) 32
뭄따즈 270, 271, 593
뭄바이 297, 298, 303～311, 438, 448, 457, 555, 556, 598, 610, 678
미국 405, 424, 438, 441, 509, 522, 549, 561～4, 576, 581, 585, 595
미노아문명 630
미락 미르자 기야스(Mirak Mirza Ghiyas) 471
미래불 97
미래세 27, 97
미륵사지 367～75
미륵신앙 97, 375
미르뿌르 카스 40
미마나 니혼후(任那日本府) 427
미세마음(Subtle Mind) 501, 692, 696～700
미야자키 하야오(宮崎駿) 77, 304
미얀마 574, 575
미투나상 50, 63, 108, 110
미트라(Mithra) 49, 555
미트라스(Mithras) 522
미흐랍(mihrab) 471, 628
밀교(Tantrism) 126, 515, 571, 647

【ㅂ】

바라나시(베나레스, 카시) 23, 52, 67, 127, 128, 214, 415
바라하(Varaha) 330
바루나(Varuna) 83
바르도 698
바르후트대탑(Bharhut stupa) 617, 625
바미얀대불(the great Buddha at Bamiyan) 629, 644
바빌로니아 46, 61, 64, 521
바이샤 312, 314, 318
바이샬리 194, 199, 393, 394, 523, 633
바카스(Bacchus, 酒神) 433, 522
바크티(bhakti, 信愛) 49, 64, 65, 448
박트리아(Bactria) 636
반소(班昭) 636
반야(般若, 지혜) 185, 642～8
반야공 647
『반야심경』 606, 645
반야의 낙관론(the optimism of prajñā) 694
반주지주의 124

반초(班超) 636
반표(班彪) 636
방편(方便, upāya) 263, 321
배화교 556, 557
배화교(Zoroastrianism) 22, 554～7
밴디트 퀸(Bandit Queen) 428
범아일여(梵我一如)론 50, 51, 56, 58, 65
범어사 383
범지(梵志) 88
『법구경』 574
법륜스님 449, 452
법성스님 458
법신(法身) 90, 91, 94, 98, 513, 560
법신(法信)스님 458
법정(法頂)스님 477
법주사 팔상전 370, 371
베다문학 49, 82, 84, 554
베다제식전통 626
베드로 524
베른슈타인 522
『벤허』 406
변계소집(遍計所執) 689
보광스님 458
보드가야(Bodhgaya) 9, 35, 36, 44, 69, 86～101, 124, 139, 266～284, 305, 311, 343, 345, 385～407, 423, 438, 450, 462, 466, 474
보드베가스 407, 436, 466
보리(菩提, bodhi) 121, 550
보리수나무(핍팔라나무) 41, 42, 59, 65, 86, 88, 98, 101, 121, 131, 133, 136, 137, 139, 142, 143, 154, 188, 284, 353, 384, 394, 395, 399, 400, 617
보살(Bodhisattva) 96, 633, 639
보신(報身) 89
보편사(Universal History) 316, 569
본생담(자타카) 518, 519, 527, 528, 566, 622, 625, 633
본생도(本生圖) 625
본체론적 일원론 667
봉헌 스투파 402
부도(浮圖) 390, 617
북전불교 574, 646
분리의 제식 348, 349, 350, 352
분소의(糞掃衣) 73, 74, 75
분황사 367, 368
불가촉천민(untouchables, harijan) 34, 416, 561
불경의 제4결집 638
『불교논리학』(*Buddhist Logic*) 417
불교의 중국정복(the Buddhist Conquest of China) 549
불교탄트리즘(Buddhist Tantrism) 647
불멸성 58
불상불표현(佛像不表現) 639
불상의 유무 616
불상의 탄생 632～48
불상중심불교 641
불여구지호학야(不如丘之好學也) 710
불이(不二, advaya) 667
불전도(佛傳圖) 625, 638
불전의 제2차 결집 195
불전의 제3차 결집 327
불타 511, 514, 548, 560, 617, 624, 625, 637～9, 645～7, 665
붓다 38, 39, 41, 65, 87～103, 108, 113, 123～153, 162, 171～201, 260, 266, 284, 311～343, 396～402, 509～527, 550, 572, 625, 627, 633, 635, 637, 639, 653, 681,

685, 686, 704, 705
붓다의 세가지 의미 87～103
붓다의 화신 510
『뷰티풀 마인드』 60
브라흐만 49, 53, 55, 56, 63, 65, 83, 123, 149, 156, 200, 201, 205, 210, 211, 353, 626, 638
브리뜨라(Vritra) 84
비그 뱅(Big Bang) 222, 662～8
비나야 90
비불교탄트리즘(Non-Buddhist Tantrism) 647
비비까(Bibi-ka-Maqbara) 593
비슈누 324, 330, 353, 531, 614, 647
비슈바나트사원 329
비아(非我) 136～143
비잔틴제국 534, 631
비창조성 58
비트겐슈타인 213
비하라(vihara, 僧房) 276, 277, 390
비하르 264, 266, 312, 316, 428, 451
빅토리아 터미누스(Victoria Terminus) 297
빈두사라왕 317
빈례(殯禮) 350
빔비사라왕 315
빛(Light) 527
빛의 성지(City of Light, 카시) 67
빤(paan) 432
삐에트라 듀라(*pietra dura*) 273, 274

【ㅅ】

사마천의『사기』 691
4대인종 597
사도바울 523, 524, 525, 526, 527, 531, 575
사두(sadhu) 48
사리(舍利) 260, 354, 355, 357, 358, 359, 385, 388
사리8분종족 358
사문(沙門, 슈라마나) 196～202
사문유관(四門遊觀) 113
사산왕조 556
사성제(四聖諦) 142, 178～81
4성지(四聖地) 342～347
사신(四身) 91
사유적 세계 60
사천왕 601
사캬파 293
사티야그라하(Satyagraha) 678
산스크리트어 35, 42, 51, 52, 88, 124, 166, 323, 355, 571, 658
산치대탑 361, 366, 617, 634
살람 627
3계6도 28
『삼국유사』 81, 83, 286, 375, 388
삼도보계강하(三道寶階降下) 625
삼독(三毒, 탐진치) 120
삼매(三昧) 42, 142, 183, 185
삼법(老病死) 113, 146, 608
삼법인(三法印) 25, 131, 132, 133, 134, 135, 136, 139, 142, 177
삼보(三寶) 190, 536
삼사라(saṃsāra, 윤회) 15, 25, 34, 681
삼상(三相) 135
삼세실유론(三世實有論) 666
삼신(三身) 91
32상 77, 188, 604, 639
삼업(三業) 32, 126, 653
삼위일체론 58, 532, 533

삼장(三藏, Tipiṭaka) 327, 399, 514
삼학(三學) 180～190
상가밋타(Saṅghamitta) 399
상사(相師) 88, 95, 100
상식(常識) 695
상좌부(Theravāda) 632
상키야철학 138
색신(色身) 89, 91, 514, 560
샌 268, 269
샤 자한 270, 271, 273, 274, 316, 545, 593
샤리 395, 606
샤이비테 마한타(Shaivite Mahanta) 402
샤캬무니 88, 572
샤캬족의 성자 88
샤크라(釋) 82
샤크티(Shakti) 63, 529
샨띠 게스트 하우스(Shanti Guest House) 423
샴탑 268, 269
서정주 437
서터키스탄 637
석가탑 363, 377
석굴암 500, 594, 601, 603, 604, 606, 608, 610, 615, 620, 640
『석도화론』 477
석제환인(釋帝桓因) 82
선덕여왕 634
선보(善報) 25
선불교(Zen Buddhism) 41
선승 588
선업(善業) 25, 26, 27, 33, 34, 548
선정(禪定) 41, 42, 43, 48, 101, 109, 110, 113, 123, 125, 182, 183, 185, 188, 189
선정주의 41, 42, 125
설일체유부(說一切有部) 638
성상주의(iconography) 41, 628, 630, 631
성상파괴주의(iconclasm) 629
성인(聖人) 598
성적 에너지 50, 63
성철스님 13, 126, 127
세계사에 유례를 보기 힘든 전도주의적 열정 549
세계사적 개인(World-historical Individual) 569, 570
세계정신 500, 563, 570, 577
세친(世親) 91, 287
셈족 571, 631
『셰익스피어 인 러브』 441
소마(蘇摩, soma) 21
소마데바(蘇摩提婆) 21
소승(Hinayana Buddhism) 500, 616, 617, 620, 630, 635, 638, 640, 643, 646
소승부파불교 632, 638
소아시아 46
소크라테스 520, 521
소피스트 196～202
수끄라하 맛따빠 91
수니파 금욕주의 593
수드라 34, 123, 318, 416
수보리 504, 642
수자타 76, 77, 188, 425～430
수자타 아카데미(Sujata Academy) 428, 449～452, 460～467
수학 59, 60, 61, 186
『수행본기경』 88
순관(順觀) 168～177
『숫타니파타』 149, 625
슈라바스티의 승가운동 523
슝가왕조 333

스리랑카 399, 574, 575
스바브하바(svabhāva, 실체) 686
스체르바츠키(F. Th. Stcherbatsky) 417
스키엔티아(*scientia*) 586
스투파 260, 261, 341, 346, 359, 360, 361, 362, 363, 364, 365, 366, 367, 368, 371, 372, 375, 382, 384, 385, 388, 389, 393, 394, 398, 399, 400, 401, 402, 404, 405, 462
스투파워십(Stupa Worship) 385, 388, 617, 631, 632
승가(僧伽, saṁgha) 134, 190, 197, 364, 366, 514, 633
시민불복종(Civil Disobedience) 678
시바 55, 63, 324～329, 353, 517, 518, 529, 531, 610, 612, 613, 614, 615, 637, 647
시바의 자웅동체 612
시바춤 614, 615
시장경제(market-oriented economy) 673
시카라 55
시크교 597
시타림(屍陀林) 11, 14, 67, 69, 73, 77, 80, 108, 154, 187
식물의 윤회 18
『식스 센스』 32
신단수(神壇樹) 84
신비종교 520, 521, 522, 526
신비주의(mysticism) 45, 46, 49, 50, 58, 59, 61, 64, 65, 555
신성(Divinity) 626
신성로마제국 534
『신약』 22, 517～529
신업(身業) 32, 653
신에 대한 앎(영지) 61
신유학 573
신의 법칙체계(divine legislature) 580
신인(神人) 522, 534
신체적 고행(physical penance) 13
신토이즘 573
실달(悉達) 88, 653
실크로드 636
심리학(Psychology) 661
심신이원론 137
『심청전』 29
『십만송반야경』(十萬頌般若經) 645
십무기(十無記) 220
십신(十身) 91
12지연기 144～167, 171, 209
십일면관음보살 601
17개조항의 협정 300
싯달타 9, 11, 12, 13, 14, 25, 26, 33, 34, 35, 36, 38, 41, 42, 46, 48, 50, 52, 56, 59, 64, 65, 66, 67, 68, 69, 72, 73, 74, 75, 76, 77, 80, 81, 82, 84, 85, 86, 88, 92, 95, 96, 97, 98, 100, 101, 104, 107, 108, 109, 110, 112, 113, 115, 116, 120, 121, 123, 125, 127, 128, 131, 133, 136, 137, 138, 139, 143, 146, 147, 148, 149, 153, 154, 155, 156, 157, 162, 163, 165, 166, 167, 168, 169, 170, 173, 179, 186, 187, 188, 190, 191, 194, 195, 201, 202, 206, 209, 210, 211, 218, 220, 221, 222, 223, 260, 263, 266, 268, 312, 318, 322, 335, 339, 341, 349, 356, 357, 358, 359, 365, 382, 384, 388, 394, 397, 398, 399, 419, 429, 450, 457, 461, 463, 504, 509, 513, 514, 519, 527, 550, 560, 572, 581, 622, 624, 625, 632, 633, 639, 645, 701
싯달타의 게송 112, 128, 130, 155, 157, 172

싯달타의 고행 11, 69
싯달타의 다비장 357
싯달타의 호칭 143
쌍목탑체제 376
쌍석탑체제 377
쌍어문 427

【ㅇ】

아가마 90, 94, 518, 638
아그라 포트(Agra Fort) 544, 545
아나히타(Anahita) 555
아난다(아난) 92, 93, 94, 334, 335, 340, 341, 342
아뇩다라삼먁삼보리 76, 77, 85, 98, 101, 121, 125, 127, 153, 154, 157, 188
아누라다푸라(Anuradhapura) 399
아눕 꾸마르(Anup Kumar) 427
아도니스(Adonis) 522
아뚬(Atum) 49
아라비아해 298, 306, 310, 457
아라야식(阿賴耶識) 698
아라한 632, 635
아랴부미(Aryabhumi, 거룩한 땅) 594
아리스토텔레스 167
아리아니즘 532
아리안족 24, 312, 532
아리우스파 58, 532, 533, 628
아발로키테슈바라(관세음보살의 현신) 511
아사나(阿斯那) 74
아쇼카 286, 311～333, 344, 385～401, 572, 574, 637
아쇼카 칙령(Ashoka edict) 320
아쇼카대관 396
아쇼카석주 391～402, 572
아슈바고샤 638
아우구스투스 주화 637
아우랑가바드 562, 593, 620
아우랑제브(Aurangzeb) 102, 593
아유타 285, 287, 427
아이콘(icon) 626, 629
아인슈타인의 상대성이론 162, 668
아자타샤트루 315
아잔타(Ajanta) 500, 550, 603, 616, 620, 622, 625, 643
아크바르(Akbar) 275, 276, 318, 471, 541～546, 553
아크바르의 진묘 546
아타나시우스 58
아트만(ātman, 我) 22, 27, 33, 50～67, 136, 139, 177, 200, 210, 216, 217, 685
아트만의 무화 66
아티스(Attis) 522
아폴로 638
아후라 마즈다(Ahura Mazdā) 49, 556
아힘사(Ahimsa) 595, 678
악보 25
악업 25, 26, 27, 211
『악취청정 탄트라』 292, 293
안나반나(安那般那) 11
알라(Allah) 49, 627～629
알랑미 420
알렉산더대제 315, 317, 636
알케미(alchemy) 587
암도(Amdo) 429～439, 576
암베드까르 561, 562
애튼보로의『식물의 사생활』 702
야마(Yama, 閻魔) 16, 21

야무나강 102, 273, 274
야쇼다라 116, 550
야스퍼스 201
"야크를 탄 세계정신이 여기에 간다!" 570
야훼 49, 627
약샤 639
약시 639
어산불영(魚山佛影) 81
어업(語業) 32, 126, 653
업(業, Karma) 25, 26, 29, 30, 31, 32, 33, 34, 56, 162, 179, 180, 194, 197, 199, 200, 201, 203, 204, 209, 211, 213
업감연기(業感緣起) 34
업보(業報) 25, 26, 28, 29, 32, 33, 211
업장소멸 439
에반젤리즘 451, 500, 546, 547, 548, 549, 552, 584
에코시스템(eco-system) 19
엑스타시적인 계시 60
엘레판타 섬(Elephanta Island) 500, 594, 599, 600, 610, 614, 615
엘로라(Ellora) 277, 282, 529, 615, 620
엘리자베쓰 440~448
여환(如幻)스님 474
역관(逆觀) 168~177
역사적 붓다(historical Buddha) 89, 90, 142, 148, 509, 510, 513, 514, 523, 635
역사적 예수(historical Jesus) 89, 559
연기(Dependent Arising) 139~167, 202~209, 650~660
연기의 부정론 210~214
연역적 사고(deductive thinking) 580
연등불(디팜카라) 98
연화수보살(蓮花手菩薩, Bodhisattva Padmapani) 622, 623
열반(Nirvāṇa) 120, 624, 680
열반상 92, 93, 624
영성(spirituality) 583, 584
영육이원론 45, 46, 48
영지주의(Gnosticism) 61, 526, 527, 528, 532, 533, 534, 553, 666
영취산 634
예루살렘성전의 파괴 105, 524
예수 17, 58, 73, 88, 91, 101, 104, 105, 106, 107, 108, 110, 120
예수의 수난 526
『예수의 신비』(*The Jesus Mysteries*) 516, 529, 537
오딧세우스 77
오마 샤리프 419
오스왈드 슈펭글러 549, 550
오스트랄로이드(Australoid) 597
오시리스(Osiris) 522
오체투지(五體投地) 44
오프라 윈프리쇼 564
올페이즘 521, 554
옹화궁(雍和宮) 288
와고라 강(Waghora River) 620
왕사성(王舍城) 315, 341, 523, 634
왕 후우즈(王夫之) 135
요가 525, 564, 581, 586, 614, 697, 704, 712
요기 135, 283
요니(Yoni) 529, 531
용(Nāga) 81, 285, 639
용문석굴 601
우루벨라 마을 76, 77, 79, 110, 142, 188, 425~430
우빠난다(Upananda) 76
우상파괴논쟁(Iconoclastic Controversy) 631

우파니샤드 19, 22, 49, 53, 55, 117, 138, 200
우 쯔니우(吳子牛) 302
운강 601
운주사 383
원시불교 90, 100, 108, 120, 124, 132, 137, 179, 189, 554, 575, 624, 627, 658, 685
원효 588
원후봉밀 394
월지(月氏, 月支) 636
『웨스트 사이드 스토리』 522
위진남북조 549
유교 552, 553, 554, 674, 683, 692, 693
유대교 49, 521, 526, 531, 553, 571, 597, 627, 690
유럽 311, 396, 405, 581
유목문화 17
유미죽 76, 77, 188
『유배된 자유』 566, 588, 595
유신론 557, 580, 581, 582, 584, 646, 647
유영굴(留影窟) 80, 81, 452, 462
유위(有爲) 596
유일신관(monotheism) 49, 58, 627
유행(遊行) 528, 548
육도윤회 135, 700
6바라밀 527, 566
6사외도 196, 201, 554
6신(六信) 628
윤두서의 자화상 541
윤회(輪廻) 15, 16, 18, 19, 20, 21, 22, 23, 24, 25, 27, 28, 29, 32, 33, 34, 37, 43, 56, 96, 97, 117, 130, 135, 155, 200, 624, 682~701
윤회의 비관론(the pessimism of saṃsāra) 694
융합의 제식 348, 349, 352
은총의 빛(*lumen gratiae*) 537
응신(應身) 89, 513
의업(意業) 32, 126, 653
『이만오천송반야경』(二萬五千頌般若經) 645
이븐 바투타 185
이성(Reason) 537, 567, 581, 703
이성의 간계(List der Vernunft, Cunning of Reason) 569
이성의 빛(*lumen naturale*) 537
이슬람 49, 275, 306, 314, 329, 402, 432, 472, 500, 554, 571, 592, 597, 627, 628, 629, 644
이원론적 철학 60
이중장례 348, 350, 352, 355
이즈니크 532
이집트 46, 64, 521, 522, 554
인(仁) 675
인간의 추리능력(reasoning) 447
인간의 탐욕 109, 565
인간중심주의 631
인과(causation) 149, 157, 659
"인과를 모르는 놈" 27
인내천(人乃天)사상 533
인도-이라니안어족(Indo-Iranian) 597
인도문명 549, 571, 596, 597, 637
인드라(Indra, 因陀羅) 63, 82, 83, 84
인욕(kṣānti) 566, 568
1금당2탑 377, 383
『일리아드』 335, 350
『일만팔천송반야경』(一萬八千頌般若經) 645
일본(日本) 562, 573, 574, 575, 584
일심(一心) 69
일연스님 81
일자(一者) 48, 49, 59, 65, 66, 132, 188

일체개고(一切皆苦) 25, 116
일체무상(一切無常) 118
1탑3금당 373, 377
1탑1금당 376
일투트미쉬(Iltutmish) 472
입정(入定) 42, 43
잉글란드 552, 576

【ㅈ】

자기동일성(identity) 216
자비 263, 265, 301, 304, 318, 319, 325, 326, 332, 527, 647, 707, 708, 713
자웅동체의 모습(Shiva Ardhanarishvara) 610
자장율사 181, 388
자툴 린포체 296~298, 303, 305, 424
자하나라 274
자한기르 271
『잡아함경』 133, 152
『장자』 123, 147, 318, 550
재가신도 632
쟈이나교 33, 95, 138, 597
적선지가(積善之家) 28
전륜성왕(轉輪聖王) 311, 319, 324
전생의 화신(the reincarnation of my previous life) 512
전정각산(前正覺山) 9, 11, 35, 80, 81, 266, 448, 449, 452, 462, 463
절대정신 569
정합적인 믿음체계(integral system) 585
제백석 585
제법무아 177, 685
제석천(帝釋天) 74, 83
제우스 49, 82, 638
제행무상 567
존자 삼부자 291
죠세프 캄벨(Joseph Campbell) 522
죤 내쉬 60
죤 스미스(John Smith) 620
주관적 이성(Subjective Reason) 706
주 르옹지(朱鎔基) 303
주빈 메타(Zubin Mehta) 557
『주역』(周易) 27, 28
주은래 466, 564, 565
주정주의(Quietism) 134
죽림정사 315
중국문명 637
중도(中道) 36, 37, 38, 39, 41, 42, 48, 56, 66, 67, 68, 72, 73, 81, 108, 126, 127
중론적 세계관(Mādhyamika world-view) 667
『중송』(中頌) 39
중유(中有) 698
중중무진연기 209
쥴리어스 시이저 520
『증일아함경』(增壹阿含經) 90
지눌(知訥) 181, 189, 588
지모신 639
지식선(止息禪) 11
GTR 316
지혜(반야) 263, 271, 282, 299, 302, 399, 645
직지인심, 견성성불 99
진도의 시킴굿 357
진시황 333
진신사리 359, 388, 632, 634
징기스칸 102, 472
짜라투스트라(Zarathustra) 557
짜이(cāy) 432
쫑카파 288, 289, 290, 291, 292, 566, 588

쫑카파의 조사도　291

【ㅊ】

차이띠야(caitiya, 法堂) 277, 389, 390
찬델라왕조　205, 329
찰루캬스 왕조시대(The Chalukyas)　615
챠르바카　33, 200, 201
『천국의 열쇠』　464
천부인(天符印)　84
천상천하 유아독존　69
청량사(淸凉寺)　131
청림회(靑林會)　469
체노보스키온 문서　528
초기불교　25, 91, 117, 135, 190
초대교회운동　523, 527, 575
초분　350
『초사』　167
초전법륜지(사르나트, 녹야원)　127, 128, 171, 173, 343, 346, 391
최익현　474
추상적 사유　60
춘다(純陀, Chunda)　91, 515
춤　614
취르허(E. Zürcher)　549
츄우 앤 라이(Chew and Lie)　565
치섬신부　464

【ㅋ】

카니발리즘(cannibalism)　352
카니쉬카왕　637, 638
카로링기안제국　534
카마　531
카쉬미르(Kashmir)　629
카스트　55, 195, 314, 325, 572, 689
카운디냐　67
카일라사 사원　277, 282, 529
카일라사산　55, 610, 613
카조다　648
카주라호　50, 110, 205, 329, 442
카칠린다까(迦尸迦衣)　84
카타　439, 713
카필라바스투　453～457
카필라성　12, 88, 89, 113, 116, 123, 149, 195, 457, 461
칸다리야 마하데바　50, 54, 55, 445
칸트　52, 146, 218, 221, 684
칼라빙카(迦陵頻伽)　85, 511
칼라차크라　268, 413, 434
칼링가왕국　317, 319
커닝햄(Sir Alexander Cunningham)　402
코살라국　195
코카소이드(Caucasoid)　597
콘스탄티누스 대제(Flavius Valerius Constantinus) 58, 532, 533, 534
쿠샨왕조(Kushān Dynasty)　266, 329, 636, 637, 638
쿠시나가르　195, 343, 347, 515
쿰붐(Kumbum)　423
퀀텀 물리학　668
「Q자료」　528
크샤트리야　312, 314, 318
킨나라(kinnara)　622

【ㅌ】

타고르　199

타카타 오사무(高田修) 638, 729
타클라(Mr. Tenzin Taklha) 423, 424, 447, 465, 505
타타(JN Tata) 311
탁처(Taktser) 423
탄트리즘 647
탄허스님(呑虛) 474
탈레반정권 629
탐욕 556, 565, 571, 677
탑(塔) 360～383
탑돌이 365, 366, 403, 412, 633
탕카 291
태평천국 298
터키 472
테오도라(the regent-empress Theodora) 631
테오리아 60
테오필루스황제(Emperor Theophilus) 631
텐진 갸초 294
토라노마키(虎の巻) 475
토톨로지(tautology) 60
토함산 601, 608
통도사 181, 634
티벧궁 479
티벧무슬림 629
티벧불교 405, 550, 564, 584, 585, 647, 648, 698
티벧승려의 교육 590～592

【ㅍ】

파라미타(pāramitā) 645
파르메니데스 60
파르바티 325, 518, 531, 610, 613, 614
파르시스(Parsis) 556
파미르고원 15, 45, 46, 64
파우스뵐(V. Fausböll) 574
파쿠다 카차야나 201
파탈리푸트라 312, 315, 316, 319, 327
파테푸르 시크리 275, 542～545
파트나 315, 316, 353, 414
팔라왕조시대(Pala Dynasty) 400
팔레스타인 46, 64, 575
팔리성전협회(Pali Text Society) 574
팔리어 35, 88, 135, 166, 289, 323, 327, 399
『팔리어삼장』 574
팔리장경 145, 196, 574, 625
팔정도(八正道) 178～181
『팔천송반야경』(八千頌般若經) 645
페니키아 521
페르시아 22, 46, 64, 471
펠리니 651
편단우견(徧袒右肩) 601
포르투갈 599
포탈라궁 290, 565, 589, 606, 714
폴 틸리히(Paul Tillich) 542
표업(表業) 32, 126, 653
푸루샤푸라 637
퓨리타니즘 576
프뉴마(pneuma) 22
프랑크후르트학파 705
프래그머티즘 576
프레케(Timothy Freke) 516
플라비우스 요세프스(Flavius Josephus) 520
플라톤(대화편) 60, 138
플라톤의 이데아론 61, 138
플루타크(Plutarch)의 『영웅전』 520
피타고라스(Pythagoras) 59, 60, 61, 521, 689
피히테 52

필로소피아 521
핍팔라나무(보리수) 69, 80, 82, 86, 98, 101, 107, 109, 120, 123, 125, 187, 188

【ㅎ】

하나님 31, 46, 49, 55, 105, 106, 107, 206, 211
하느님 49
하랏파유적 529
하리잔 562
하버마스 703
하인츠 베케르트(Heinz Bechert) 397
하지 베감(Haji Begam) 471
한국국제협력단(KOICA) 452
『한서』(漢書) 636
한역대장경 575
한장어족(Sino-Tibetan) 597
함족 571
합리성(Rationality) 703
합일(合一) 59, 63, 64, 65, 112
항마촉지인 101, 601
항우(項羽) 302
해월 최시형 429
해탈(解脫, mokṣa) 15, 23, 24, 25, 26, 34, 35, 47, 48, 56, 63, 67, 68, 96, 107, 117, 120, 121, 123, 128, 130, 136, 137, 138, 139, 142, 223, 624
허왕후(許王后) 285, 427
헤겔(Georg Wilhelm Friedrich Hegel) 52, 219
헤르메티카 554
헤어드레서 444
헬레니즘 526, 575
현대물리학적 세계관 667
현장(玄奘) 285, 368, 401, 624, 633
혜초스님 283, 403, 404, 428, 464, 478
호르크하이머(Max Horkheimer) 703
호머 77
호미 까페(Homy Cafe) 440
호학(好學) 710
홍익인간(弘益人間) 83
화라바하르(Faravahar) 555
화신(化身) 89, 694
화이트헤드(Alfred North Whitehead) 535
화장(cremation) 347, 348, 350, 351, 352, 353, 355, 356, 357, 360, 362, 364
화장세계(華藏世界) 403
환생 624
환웅(桓雄) 83
환조석불 601
황룡사 286, 371, 372, 373, 375, 377
황하문명 571, 596
후마윤 471, 472, 541
후쿠나가 미쯔지(福永光司) 550
훗설 218
희랍 521, 522, 526, 554, 581, 630, 631, 638, 640, 689, 690
희랍정교회 631
히란냐바티 강 335, 339
히틀러 51
힌두교 324, 402, 531, 597, 643, 647
힌두사원 398, 401, 615
힌두이즘 152, 285, 327, 432, 620

## 檮杌 金容沃

- 충남 천안 태생
- 고려대 생물과
- 한국신학대학
- 고려대 철학과 졸업 (72)
- 국립대만대학 철학과 석사 (74)
- 일본 동경대학 중국철학과 석사 (77)
- 하바드대학 철학박사 (82)
- 고려대 철학과 부교수 부임 (82)
- 고려대 철학과 정교수 (85)
- 억압된 정치상황 속에서 양심선언문을 발표하고,
  고려대 철학과 교수직을 사직 (86. 4.)
- 그 후로 자유로운 영화, 연극, 음악, 저술 활동
- 원광대학교 한의과 대학졸업 (90～96)
- 동숭동에 도올한의원 개원, 환자를 돌보다 (96. 9～현재까지)
- 서울대 천연물과학연구소 교수 · 용인대 무도대학 유도학과 교수 · 중앙대
  의과대학 한의학 담당교수 · 한국예술종합학교 연극원 강사 역임 (96～98)

현재 : 도올서원 강주

**저서** : 『여자란 무엇인가』, 『東洋學 어떻게 할 것인가』, 『절차탁마대기만성』, 『루어투어 시앙쯔』(上·下), 『중고생을 위한 철학강의』, 『아름다움과 추함』, 『이땅에서 살자꾸나』, 『새츈향뎐』, 『老子哲學 이것이다』, 『나는 佛敎를 이렇게 본다』, 『길과 얻음』, 『新韓國紀』, 『白頭山神曲 · 氣哲學의 構造』, 『시나리오 將軍의 아들』, 『讀氣學說』, 『태권도철학의 구성원리』, 『도올세설』, 『대화』, 『도올논문집』, 『氣哲學散調』, 『三國遺事引得』, 『石濤畵論』, 『너와 나의 한의학』, 『醫山問答 : 기옹은 이렇게 말했다』, 『삼국통일과 한국통일』(上·下), 『天命 · 開闢』, 『도올선생 中庸講義』, 『건강하세요 I 』, 『話頭, 혜능과 셰익스피어』, 『이성의 기능』, 『도올 김용옥의 金剛經 강해』, 『노자와 21세기』(1 · 2 · 3), 『도올논어』(1 · 2 · 3)

## 달라이라마와 도올의 만남(3)


2002년 8월 3일 초판발행
2002년 8월 17일 1판 2쇄

지은이 김 용 옥
펴낸이 남 호 섭
펴낸곳 통 나 무



서울 종로구 동숭동 199-27
전화 : (02) 744 – 7992
팩스 : (02) 762 – 8520



출판등록 1989. 11. 3. 제1-970호





값 16,000원

ISBN 89-8264-083-5 04220
ISBN 89-8264-080-0 (전3권)